Carole Morelli

Je révise
avec mon enfant

Français
Mathématique
Science et technologie

Deuxième cycle
4ᵉ année

Dominic
L'Heureux

TRÉCARRÉ
QUEBECOR MEDIA

Catalogage avant publication de Bibliothèque et Archives Canada

Carole Morelli

Je révise avec mon enfant 1re(-6e) année

Nouv. éd.

Sommaire: (1) 1ère année — (2) 2e année — (3) 3e année — (4) 4e année — (5) 5e année — (6) 6e année.

Pour les élèves du niveau primaire.

ISBN 2-89568-228-3 (v. 1)
ISBN 2-89568-229-1 (v. 2)
ISBN 2-89568-230-5 (v. 3)
ISBN 2-89568-231-3 (v. 4)
ISBN 2-89568-232-1 (v. 5)
ISBN 2-89568-233-X (v. 6)

1. Français (Langue) - Problèmes et exercices - Ouvrages pour la jeunesse. 2. Mathématiques - Problèmes et exercices - Ouvrages pour la jeunesse. 3. Sciences - Problèmes et exercices - Ouvrages pour la jeunesse. 4. Enseignement primaire - Participation des parents. I. Titre.

PC2112.5.J399 2004   448.2'076   C2004-941365-1

Composition et mise en pages: Interscript

Conception et réalisation de la couverture: Cyclone design communications

Illustrations: Christine Battuz

Note : L'auteure tient à remercier les auteurs de *Ami-mots 1* ainsi que Les Éditions du Trécarré qui lui ont permis d'utiliser certains exercices de l'ouvrage précédemment mentionné.

Nous reconnaissons l'aide financière du gouvernement du Canada par l'entremise du Programme d'aide au développement de l'industrie de l'édition (PADIÉ) pour nos activités d'édition; du Conseil des arts du Canada; de la SODEC; du gouvernement du Québec par l'entremise du Programme de crédit d'impôt pour l'édition de livres (gestion SODEC).

ISBN 2-89568-231-3

Dépôt légal 2004
Bibliothèque nationale du Québec

Éditions du Trécarré,
division de Éditions Quebecor Media inc.
7, chemin Bates
Outremont (Québec)
H2V 4V7

Table des matières

Table des matières

Table des matières

Table des matières

Votre enfant entreprend la 4e année du primaire. Il a 9 ou 10 ans, et il s'ouvre de plus en plus au monde qui l'entoure. Il connaît bien l'école, se sent plus sûr de lui affectivement et, en général, il aime la vie de groupe et le travail d'équipe. Il est désormais prêt à structurer davantage son comportement.

Ce guide est conçu pour vous, parents, qui voulez vous impliquer davantage dans la vie scolaire de votre enfant, mais il ne doit pas devancer le travail fait en classe par votre enfant. En couvrant les principaux savoirs essentiels du ministère de l'Éducation, cet ouvrage vous permet de suivre votre enfant tout au long de l'année, d'être témoin de ses progrès, et d'intervenir si nécessaire dans le processus d'apprentissage.

Cet ouvrage vous permettra également d'aider votre enfant à développer des compétences qui lui seront utiles en français, en mathématique et en science et technologie. Ces compétences, appelées *compétences transversales*, sont les suivantes :

- **les compétences d'ordre intellectuel** : exploiter l'information; résoudre des problèmes; exercer son jugement critique ; mettre en œuvre sa pensée créatrice ;

- **les compétences d'ordre méthodologique** : se donner des méthodes de travail efficaces; exploiter les technologies de l'information et de la communication ;

- **les compétences d'ordre personnel et social** : structurer son identité ; coopérer ;

- **la compétence de l'ordre de la communication** : communiquer de façon appropriée.

Lorsque vous travaillerez dans ce cahier, si votre enfant ne comprend pas une activité, c'est sans doute parce que les notions requises lui sont encore inconnues ou qu'il saisit mal le sens de la question qui lui est posée. Fiez-vous toujours à votre intuition. Vous connaissez votre enfant mieux que quiconque, et il sait ce qu'on attend de lui. Faites-lui confiance. Il vous dira s'il ne comprend pas ou s'il n'a pas encore étudié ces notions à l'école.

Je vous souhaite une 4e année agréable, sereine et enrichissante avec votre enfant.

Comment utiliser ce livre

Cet ouvrage renferme les principaux savoirs essentiels du programme de français pour le 2e cycle du primaire et comprend trois volets : français, mathématique et science et technologie.

Chacun des volets se divise en séries d'activités qui correspondent aux savoirs essentiels du ministère de l'Éducation.

Au début de chaque volet, quelques pages sont réservées aux parents. On y indique les compétences à développer, ainsi que les stratégies, connaissances et techniques qui permettront d'y arriver. Vérifiez d'abord si votre enfant a reçu cet enseignement spécifique en classe. Ce n'est qu'à cette condition qu'il sera apte à réviser en votre compagnie. Dans ces même pages, vous trouverez à l'occasion des conseils pratiques de l'auteure soit sur un sujet en général, soit sur la matière vue dans les exercices qui suivent.

Enfin, si vous doutez des réponses à certains exercices ou si la terminologie ne vous est pas familière, recourez au corrigé et au lexique qui se trouvent à la fin du volume.

Carole Morelli

*Orthopédagoque de formation, **Carole Morelli** a été conseillère pédagogique et consultante pour divers projets pédagogiques. Au fil des ans, elle a acquis une vaste expérience en travaillant auprès des différentes clientèles scolaires. Depuis quelques années, elle collabore à la rédaction de textes, de guides et d'ouvrages à caractère pédagogique, en plus de donner diverses formations à travers le Québec.*

Volet lecture

Le but à long terme de ce volet du programme de français est d'amener l'enfant à devenir un lecteur compétent et autonome, c'est-à-dire d'être capable de lire plusieurs types de textes avec plaisir, aisance et efficacité, afin de répondre à ses besoins personnels, scolaires et sociaux. À plus court terme, il s'agit d'aider l'enfant à acquérir des connaissances et à développer des moyens (stratégies et techniques) pour comprendre des textes et utiliser l'information qu'ils contiennent.

Comme tout apprentissage, la lecture demande une pratique régulière. Pour faciliter cet apprentissage, nous diviserons ici l'acte de lire en trois temps : *Avant la lecture*, *Pendant la lecture* et *Après la lecture*. Chacune des trois parties abordera une ou plusieurs des composantes proposées par le Ministère pour développer la compétence en lecture.

Schéma 1
Programme de formation

Composantes de la compétence *

Construire du sens à l'aide de son bagage de connaissances et d'expériences

Utiliser le contenu des textes à diverses fins

LIRE DES TEXTES VARIÉS

Réagir à une variété de textes lus

Évaluer sa démarche de lecture en vue de l'améliorer

Utiliser les statégies, les connaissances et les techniques requises par la situation de lecture

– Construire du sens à l'aide de son bagage de connaissances et d'expériences.

– Utiliser le contenu des textes à diverses fins.

– Réagir à une variété de textes lus.

– Utiliser les stratégies, les connaissances et les techniques requises par la situation de lecture.

– Évaluer sa démarche de lecture en vue de l'améliorer.

La plupart des activités quotidiennes font appel à la lecture, qu'il s'agisse d'effectuer une tâche, de se renseigner ou de se divertir.

* Tiré du *Programme de formation de l'école québécoise*, ministère de l'Éducation, 2001, p. 75.

Avant la lecture

Bien qu'elles soient toutes interreliées, voici les composantes qui seront principalement touchées dans cette partie.

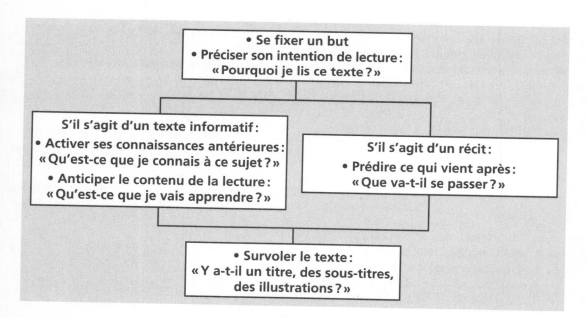

* Tiré du *Programme de formation de l'école québécoise,* ministère de l'Éducation, 2001, p. 75.

STRATÉGIES À DÉVELOPPER	PAGES
1. Préciser son intention de lecture (son but) et la garder à l'esprit. Commencer à lire sans avoir de but, c'est un peu comme se promener sans direction. Le lecteur veut-il s'informer ? Cherche-t-il une réponse à une question ? Veut-il s'amuser, se distraire ? Quand l'enfant prend l'habitude de se fixer un but avant sa lecture, il est plus satisfait de lui-même et se met en meilleure position pour répondre à des questions. Il crée ainsi sa propre motivation et devient plus curieux.	10 et 11
2. Construire du sens à l'aide de son bagage de connaissances et d'expériences. En prenant connaissance du thème du texte à lire, votre enfant fait l'inventaire de ce qu'il connaît à propos de ce sujet. Des énoncés du type « Ça me rappelle... » ou encore « Je me souviens, une fois... » peuvent l'aider à comprendre un texte et lui permettre de faire des liens entre son expérience personnelle et le texte présenté.	9
3. Survoler le texte pour anticiper son contenu. Cette habileté est très importante avant d'entreprendre la lecture proprement dite. En se posant des questions du type « De quoi sera-t-il question dans ce texte ? », « Le texte est tiré de quelle revue (livre ou journal) ? », « Qu'est-ce que je vais apprendre ? », votre enfant crée le contexte dans lequel il effectuera sa lecture. À l'aide des indices trouvés lors du survol du texte (titres, sous-titres, illustrations, mots en caractères gras, etc.), son projet de lecture devient plus clair. Ce survol permet également de déterminer quel type de lecture doit être fait. S'il s'agit de lire une recette, une lecture attentive sera nécessaire ; s'il s'agit d'une histoire, une lecture globale (moins portée sur les détails) sera alors plus pertinente.	9

À la maison, lorsque vous écoutez une émission de télé avec votre enfant, vous pouvez lui demander, pendant la pause publicitaire, d'imaginer la suite des événements pour l'aider à prendre l'habitude d'anticiper.

Pendant la lecture

Bien qu'elles soient toutes interreliées, voici les composantes qui seront principalement touchées dans cette partie.

Composantes de la compétence *

Construire du sens à l'aide de son bagage de connaissances et d'expériences

Utiliser le contenu des textes à diverses fins

LIRE DES TEXTES VARIÉS

Réagir à une variété de textes lus

Évaluer sa démarche de lecture en vue de l'améliorer

Utiliser les statégies, les connaissances et les techniques requises par la situation de lecture

COMPRENDRE		
MOT	**PHRASE**	**TEXTE**
Identifier et décoder des mots nouveaux en combinant plusieurs sources d'information.	Établir des liens dans la phrase.	Formuler des hypothèses (prédictions) et les réajuster au fur et à mesure.
Identifier les mots auxquels renvoient les pronoms, les synonymes et les autres termes substituts et évoquer les liens établis par les marqueurs de relation dans le texte.	Repérer les mots porteurs de sens (groupe, sujet, groupe du verbe).	Inférer les éléments d'information implicites à partir de divers indices et regrouper des éléments d'information éloignés les uns des autres.

* Tiré du *Programme de formation de l'école québécoise*, ministère de l'Éducation, 2001, p. 75.

STRATÉGIES À DÉVELOPPER	PAGES
4. Identifier des mots nouveaux en combinant plusieurs sources d'information. Lorsqu'un mot ou une expression sont inconnus pour l'enfant, il n'est pas toujours nécessaire d'avoir recours au dictionnaire, interrompant ainsi sa lecture et risquant de lui faire perdre le fil. Un moyen de déjouer ce problème consiste à faire des hypothèses sur le sens inconnu du mot ou de l'expression. Ces hypothèses peuvent se construire à partir de différents indices: • s'appuyer sur le contexte du texte, sur les illustrations; • examiner les parties du mot: reconnaître les préfixes, les suffixes, les radicaux; • aller voir le mot avant ou le mot après; • trouver des mots de même famille; • lire la phrase en substituant le mot non compris à un autre.	14-15
5. Identifier les mots auxquels renvoient les pronoms, les synonymes et les autres termes substituts et évoquer les liens établis par les marqueurs de relation dans le texte. Les termes substituts sont les pronoms ou les synonymes que l'on utilise pour remplacer d'autres mots dans une phrase. Ils font parfois perdre le sens de la phrase. Les marqueurs de relation unissent des mots, des groupes de mots ou des phrases. On les trouve sous forme de conjonction (et, ou, ni, mais, or, car, donc) ou de préposition (à, de, pour, sans, etc.). Les pronoms relatifs (qui, que, quoi, dont, où) unissent, quant à eux, des propositions. Exemple: Marie est celle qui a attrapé la varicelle.	17-18
6. Établir des liens dans la phrase. Faire des liens entre les mots d'une phrase permet de situer l'auteur de l'action, la nature de l'action et de comprendre les détails entourant son sens. Plusieurs moyens peuvent aider un enfant qui se trouve face à une phrase difficile à comprendre: • lire les mots qu'il comprend dans la phrase; • découper la phrase en petites unités afin de mieux en saisir le sens; • revoir le titre ou le sous-titre; • lire la phrase avant ou la phrase après; • se servir de la ponctuation; • se servir des indices grammaticaux (genre, nombre); • relire le paragraphe.	12
7. Repérer les mots porteurs de sens (groupe sujet, groupe du verbe). Le groupe sujet est l'ensemble des mots se rapportant au sujet du verbe (gras). Le groupe du verbe, c'est le verbe et ses partenaires (souligné). Exemple: Quand **le bébé** dort, **Laurie** peut lire tranquillement.	13

STRATÉGIES À DÉVELOPPER	PAGES
8. Formuler des hypothèses (prédictions) et les réajuster au fur et à mesure. Au fur et à mesure de sa lecture, votre enfant réorganise sa pensée, se questionne, réagit. Ce sont ces actions qui le mènent à créer un sens, à comprendre. Pour s'imprégner du texte, il peut aussi se demander : « Que va-t-il se passer après ? Comment réagirais-je si des événements semblables m'arrivaient ? Est-ce que je connais des personnages semblables à ceux du récit ? Cette histoire se passe-t-elle dans un environnement semblable au mien ou est-ce très différent ? » Ces questions l'amènent à prendre l'habitude d'interpréter ce qu'il observe et à prendre conscience des avantages à ne pas rester « collé » à ce qu'il perçoit ou aux mots qu'il lit, mais à chercher des liens avec ce qu'il connaît déjà.	16
9. Inférer les éléments d'information implicites à partir de divers indices et regrouper des éléments d'information éloignés les uns des autres. Cette habileté se développe par la capacité de faire des liens entre les divers éléments du texte et de percevoir les interactions entre les personnages. Prendre le temps de chercher les liens permet de mieux comprendre le déroulement de l'histoire et peut même permettre d'anticiper ce qui va se passer. L'enfant qui a de la difficulté à situer les éléments principaux d'un texte pourrait écrire ou dessiner ces éléments, ou dégager les idées principales en soulignant des mots clés et en repérant les renseignements importants.	18

Vocabulaire à maîtriser : accord, adverbe, conjonction, genre, groupe du verbe, groupe sujet, marqueur de relation, mot de même famille, mot de substitution, nombre, phrase, préposition, pronom, synonyme, verbe.

À la maison, cette habileté à faire des liens, à interpréter, peut se pratiquer par la présentation de courtes bandes dessinées (celles des journaux à trois vignettes, par exemple) où la dernière vignette est cachée. L'enfant doit dire ce qu'il voit dans chacune des images et faire des hypothèses sur le dénouement.

Pour motiver l'enfant à lire oralement, pourquoi ne pas lui offrir un petit livre de blagues ou de devinettes et lui demander chaque jour d'en lire une à ses parents, ou à ses frères et sœurs ? S'il y a un petit à la maison, l'enfant pourrait, si cela lui plaît, lui lire une histoire.

Après la lecture

Bien qu'elles soient toutes interreliées, voici les composantes qui seront princi-palement touchées dans cette partie.

Composantes de la compétence *

Construire du sens à l'aide de son bagage de connaissances et d'expériences

Utiliser le contenu des textes à diverses fins

LIRE DES TEXTES VARIÉS

Réagir à une variété de textes lus

Évaluer sa démarche de lecture en vue de l'améliorer

Utiliser les statégies, les connaissances et les techniques requises par la situation de lecture

Retenir l'essentiel de l'information recueillie au plan du contenu.	Être à l'écoute de ses émotions et de ses sentiments et les partager.	Établir des liens entre la démarche utilisée et l'atteinte de son intention de lecture.

STRATÉGIES À DÉVELOPPER	PAGES
10. Retenir l'essentiel de l'information recueillie au plan du contenu. Prendre l'habitude de faire un retour sur sa lecture, c'est la meilleure façon de retenir quelque chose. Ne pas faire de retour, c'est un peu comme aller à l'épicerie et en ressortir les mains vides. «Qu'est-ce que je retiens ? Quels sont les éléments importants de ma lecture ? Que s'est-il passé au début, au milieu, à la fin ?» Ces questions, selon l'intention de lecture (le but), orientent votre enfant.	*19 et 22*
11. Être à l'écoute de ses émotions et de ses sentiments et les partager. Dire ce que l'on ressent à la suite de sa lecture et justifier son point de vue en fournissant des raisons sont aussi des qualités importantes à développer chez le jeune lecteur. Avoir un esprit critique, être capable d'identifier ses senti-ments sont en quelque sorte des moyens de dire si l'on se sent près ou loin d'un texte, si on l'a aimé ou non.	*21*
12. Établir des liens entre la démarche utilisée et l'atteinte de son intention de lecture. Cette habileté se développe par la pratique et par la capacité de faire des liens entre divers éléments. C'est une habileté difficile à acquérir pour l'enfant de 4ᵉ année.	*20*

* Tiré du *Programme de formation de l'école québécoise*, ministère de l'Éducation, 2001, p. 75.

Survole le texte suivant. Tu n'auras pas le choix car une bonne partie est ombragée. Sers-toi du titre, des mots en caractères gras et de l'illustration pour faire une hypothèse sur ce que tu pourrais y trouver.

Le cochon, la queue en tire-bouchon ?

Oui et non. ▒▒▒▒▒▒▒▒▒▒▒▒▒▒▒▒▒▒▒▒▒▒▒▒▒▒ peut enrouler et dérouler ▒▒▒▒▒▒▒▒▒▒▒▒▒▒▒▒▒▒▒▒▒▒
▒▒▒▒▒▒▒▒▒▒▒▒▒▒▒▒▒▒▒▒▒▒▒▒▒▒▒▒▒▒▒▒▒▒▒
▒▒▒▒▒▒▒▒▒▒▒▒▒▒▒▒▒▒▒▒▒▒▒▒▒▒▒▒▒▒▒▒▒▒▒
comme le chien. ▒▒▒▒▒▒▒▒▒▒▒▒▒▒▒▒▒▒▒▒▒▒
▒▒▒▒▒▒▒▒▒▒▒▒▒▒▒▒▒▒▒▒▒▒▒▒▒▒▒▒▒▒▒▒▒▒▒
▒▒▒▒▒▒▒▒▒▒▒▒▒▒▒▒▒▒▒▒▒▒▒▒▒▒▒▒▒▒▒▒▒▒▒

Formée de petits os, ▒▒▒▒▒▒▒▒▒▒▒▒▒▒▒▒▒▒
▒▒▒▒▒▒▒▒▒▒▒▒▒▒▒▒▒▒▒▒▒▒▒▒▒▒▒▒▒▒▒▒▒▒▒
▒▒▒▒▒▒▒▒▒▒▒▒▒▒▒▒▒▒▒▒▒▒▒▒▒▒▒▒▒▒▒▒▒▒▒
▒▒▒▒▒▒▒▒▒▒▒▒▒▒▒. Autrefois, ▒▒▒▒▒▒▒▒▒▒▒▒
▒▒▒▒▒▒▒▒▒▒▒▒▒▒▒▒▒▒▒▒▒▒▒▒▒▒▒▒▒▒▒▒▒▒▒ .
Aujourd'hui, ▒▒▒▒▒▒▒▒▒▒▒▒▒▒▒▒▒▒▒▒▒▒▒▒▒
▒▒▒▒▒▒▒▒▒▒▒▒▒▒▒▒▒▒▒▒▒▒▒▒▒▒▒▒▒▒▒▒▒▒▒
▒▒▒▒▒▒▒▒▒▒▒▒▒▒▒▒▒▒▒▒▒▒▒▒▒▒▒▒▒▒▒▒▒▒▒ .

1 À ton avis, de quoi est-il question dans ce texte ?

_____

_____

_____

2 À quel moment est-il utile de survoler un texte ?

_____

_____

_____

3 À quoi ça sert de survoler un texte ?

_____

_____

_____

4 Comment peux-tu t'y prendre pour survoler un texte ?

_____

_____

_____

5 Qu'est-ce que tu connais de ce sujet-là ?

_____

_____

_____

Prendre l'habitude de survoler un texte permet de prévoir ce qui pourrait arriver et de mieux profiter de ta lecture.

Lis le texte suivant en supposant que tu es un voleur qui recherche des biens à dérober.

Chez ma grand-mère Jeannette

Que c'est agréable d'aller chez grand-mère ! Elle est si accueillante, si joyeuse et si bonne cuisinière !

En entrant, une odeur caractéristique se dégage : un mélange de ses parfums, de thé et d'humidité provenant de ses nombreuses plantes.

Le salon offre son confort et ses richesses. Les coussins de velours, le sofa moelleux, le fauteuil rose jauni par le soleil nous invitent à nous asseoir. Au mur, un tableau du peintre Riopelle côtoie les tableaux de sa fille Suzanne. Quelques photos anciennes s'alignent le long du corridor. Mais quelles photos ! Elles feraient la joie d'un collectionneur.

La cuisine se dévoile comme un laboratoire où ma grand-mère magicienne fait apparaître de bons petits plats. Ses chaudrons, ses ustensiles, son tablier, ses couteaux de grande qualité la secondent dans ses envolées culinaires. Son petit buffet du coin cache des biens précieux : un bol en verre de Murano, son service de couverts en argent, sa bonbonnière en porcelaine, son service de vaisselle importé d'Angleterre.

Au fond de l'appartement, on aperçoit sa petite chambre. En y pénétrant, son bureau capte notre attention : son coffret à bijoux semble déborder tellement elle a de colliers, de bagues, de boucles d'oreilles. Posé sur une petite tablette, un ange en bronze nous regarde et s'apprête à nous transpercer d'une de ses flèches.

Les meilleurs moments sont ceux où on se met à table : ma grand-mère prépare toujours trop de nourriture, car elle tient à conserver sa réputation de bonne cuisinière. Elle offre tout un assortiment de plats pour nous faire plaisir : soupe à la dinde et aux nouilles, macaroni au fromage, pain maison, cretons, pâtisseries de toutes sortes, gâteau aux carottes, biscuits au chocolat et… « Je n'en peux plus, je n'ai plus faim, grand-mère, mais j'ai faim d'entendre vos histoires nous racontant votre enfance. »

1 En tant que voleur, que retiens-tu de ce texte ?

_____

_____

_____

2 Relis ce texte du point de vue d'une personne gourmande. Que retiens-tu maintenant de cette deuxième lecture ?

_____

_____

_____

3 Comment expliques-tu la différence entre tes réponses ?

_____

_____

_____

Avant de lire un texte, il est bon de prendre l'habitude de se donner un but, une intention. Tu verras, ta compréhension en sera enrichie et tu retiendras beaucoup plus facilement.

Tous les samedis, c'est la même chose. Il faut aller au centre commercial pour faire des courses. Parfois c'est mon père, parfois c'est ma mère, et parfois, je les accompagne.

Pour chaque énoncé, identifie la personne qui parle en cochant dans la bonne colonne.

	Le consommateur (père ou mère)	Le vendeur (marchand)
1. Je cherche un cadeau d'anniversaire pour une cousine.		
2. C'est une bonne affaire. Cette semaine, vous profitez d'une réduction de 20 % sur tout ce qu'il y a en magasin.		
3. Le pain est frais du jour.		
4. Vous les trouverez dans la 3ᵉ rangée, au milieu, à votre gauche.		
5. Merci, j'ai déjà un sac.		
6. Il ne nous reste que la pointure 6 dans ce modèle.		
7. Je voudrais un demi-kilo de jambon Forêt-Noire, tranché mince.		
8. Avez-vous de la petite monnaie ? Je n'ai que des billets dans ma caisse.		
9. Il ne nous en reste plus, je suis désolée.		
10. Oh ! C'est un peu trop coûteux.		

Alia est un être venu d'ailleurs, un être curieux de connaître les habitants de notre planète et leurs particularités. Elle est allée visiter l'Inde.

Lis le texte suivant. Souligne le groupe du verbe et entoure le groupe sujet.

Les découvertes d'Alia

Alia a découvert qu'en Inde, des enfants de 8 à 14 ans apprennent à être des « mini-médecins ». C'est bien vrai ! Là-bas, des milliers de garçons et de filles font des examens de santé et s'occupent de prévenir ou de traiter différents maux.

Tout commence à l'école, où les enfants apprennent l'importance de la propreté, d'une bonne alimentation et de l'eau potable quand on veut demeurer en bonne santé. On leur enseigne aussi comment traiter des brûlures, bien prendre soin de leurs yeux et préparer une boisson spéciale pour les enfants souffrant de diarrhée. Ces connaissances, les enfants les transmettent aux membres de leur famille et à leurs voisins. Ils présentent des sketches et des spectacles de marionnettes, racontent des histoires, chantent et dessinent des affiches.

Certains mini-médecins doivent s'occuper de six familles de leur voisinage. Leur tâche consiste à amener les jeunes enfants au dispensaire et à rappeler aux mères que le moment est venu de faire vacciner leur bébé. Dans certains endroits, toute l'école participe. Par exemple, les écoliers apprennent que la malaria est une maladie propagée par les moustiques. La saison humide venue, on leur demande d'aider à prévenir la maladie en asséchant les flaques d'eau où les moustiques pourraient pondre leurs œufs.

Les mini-médecins sont très utiles. Grâce à leur travail, des milliers de gens sont en meilleure santé et plus heureux.

Extrait de « Des enfants serviables » *Aujourd'hui quelque part*, Éditions Jeunesse, ACDI, Montréal, n° 6.2, janvier 1995, p. 12.

Lis le texte suivant. Essaie de faire des hypothèses sur le sens des mots qui te sont inconnus.

AURÉLIA

– Extraordinaire !

– Génial !

– Moi, je ne sais pas si mes parents vont vouloir...

– Ben... autant aller leur demander tout de suite.

– Tu as raison. Salut !

– Salut !

Tous les enfants se bousculent à la sortie de l'école. Je quitte mes copains et, mon sac bien posé sur la tête, je me dépêche de rentrer à la maison. Dès que je laisse la route bitumée pour le chemin de terre, j'enlève mes savates et je me mets à courir. Mes pieds scandent un joli refrain sur la terre fraîche et le trajet me semble long, tant j'ai hâte d'annoncer la bonne nouvelle à mon père et à ma mère. Enfin, je vois le toit de tôle de notre maison enfouie au milieu des fleurs. Je me précipite dans la cour, sans me soucier des poules qui caquettent d'indignation devant mon entrée si bruyante.

– Maman, maman, écoute. J'ai une grande nouvelle !

– Je suis dans la cuisine et je n'entends rien !

Je me précipite vers la petite cabane au fond de la cour et, en faisant bien attention de ne pas me cogner, j'entre à l'intérieur. Ma mère, penchée sur le feu de bois, se redresse et me regarde, étonnée.

– Qu'as-tu encore fait comme bêtise ?

– Mais rien, maman, voyons. Le maître, il m'a dit qu'il allait venir cet après-midi vous voir et vous...

– Et tu oses me dire que tu n'as rien fait ? Pour que le maître vienne, il doit s'agir de la plus grosse bêtise que j'aie jamais entendue.

– Je te dis que non. Laisse-moi t'expliquer.

Je m'emmêle, je bégaie tant je suis excitée, et ma mère a vraiment du mal à me comprendre. Papa n'est pas encore revenu de la canne à sucre. Lui, il comprendrait, au moins.

– Maman ! Je pars à la mer !

– Comment ça, tu pars à la mer ? Mais tu ne sais même pas nager. Et puis, c'est loin, la mer.

– On y va tous ! Toute la classe ! C'est le maître qui nous y amène samedi. On va même dormir là-bas. On ne reviendra que dimanche soir. C'est pour ça qu'il vient vous voir tout à l'heure !

Extrait du roman *Mathilde et Aurélia*, Myriam Baum, Éditions du Trécarré, 1995, p. 3 à 5.

1 **Fais des hypothèses sur le sens des mots suivants.**

Écris les indices dont tu t'es servi pour trouver leur sens.

Mot	Hypothèse	Indice (phrase du texte, contexte, mot de même famille, etc.)
a) bitumée		
b) savates		
c) scandent		
d) caquettent		
e) maître		

2 Peux-tu imaginer de quoi il est question dans ce livre ?

_____

_____

_____

Prendre l'habitude d'anticiper la suite de l'histoire est fort utile pour t'aider à comprendre un texte. Si tu veux vérifier si ton hypothèse est juste et si tu as envie de lire ce livre, tu peux sans doute le trouver à la bibliothèque ou dans une bonne librairie !

3 Comment réagirais-tu si des événements semblables t'arrivaient ?

_____

_____

_____

Lorsque tu lis, il est important de comprendre le sens des mots. Certains mots en remplacent d'autres. On les appelle «mots de substitution». On se sert de ces mots pour éviter les répétitions et pour rendre le texte plus intéressant.

1 Lis le texte suivant et inscris dans les parenthèses le mot qui est remplacé par chaque mot de substitution.

Ex.: Ma chatte est belle. Elle est très douce. (Elle = ma chatte)

Cloé regarde sa montre. Encore onze minutes avant d'arriver à Angers. Le train semble s'emballer. Il (_____) fait bong, bong, bong. Mais non ! Le train glisse sans bruit... C'est le cœur de Cloé qui (_____) bat très fort.

Cloé respire profondément. Pourquoi aurait-elle (_____) peur ? D'ailleurs, elle a décidé de ne plus avoir peur. Parce qu'elle (_____) a onze ans... Encore huit minutes. Cloé pose la main sur son sac de voyage. Son cœur bat à tout rompre. Et si la marraine n'était pas sur le quai ? Si elle (_____) n'était pas à la gare ?...

Cloé attend sur la plate-forme. Le train ralentit.

Voici le quai... le train s'arrête brutalement. Cloé ouvre la portière, soulève son sac si lourd, descend les deux marches. Elle (_____) a un vertige ; le quai lui (_____) semble infini. Des gens s'éloignent. Et Philomène ? Où est donc sa marraine ? Cloé se retourne. Elle (_____) voudrait pleurer. Soudain, quelqu'un la (_____) prend dans ses bras. Une longue femme très parfumée.

– Ma puce ! (_____) Viens, Cloé !
– Oh ! Philomène, tu (_____) es là...

Cloé se sent beaucoup mieux. Elle (_____) sourit en observant sa drôle de marraine : cette femme filiforme aux lèvres mauves, dans cette longue jupe... Ses parents l'(_____) appellent « Phénomène » !

– Devinette : quelle est ma voiture, Cloé ?

Une quarantaine de voitures sont garées dans ce parking.

– Je (_____) parie que c'est cette vieille Citroën rose à pois rouges.

– Exact. Alors tu (_____) peux entrer dedans.

Philomène conduit en faisant de grands gestes et en regardant très peu la route.

– Tes parents m'(_____) appellent toujours Phénomène ?

– Euh... oui.

Philomène éclate de rire et lâche le volant.

– Tu (_____) peux aussi m'(_____) appeler ainsi, Cloé. Je (_____) crois que ça me (_____) va très bien, ce surnom.

Adaptation d'un extrait du roman *Cloé chez les Troglos*, Evelyne Wilwerth, Éditions du Trécarré, 1995, p. 5 à 8.

2 Dessine une suite à cette histoire.

Activité 7

L'origine de l'école, ça te dit quelque chose? Lis le texte suivant et écris dans tes mots ce que tu retiens de chacune des périodes de l'histoire à ce sujet.

SKHOLÊ? SCHOLA? ÉCOLE!

L'école, l'école, l'école... Toujours l'école! Retracer l'école... c'est retracer l'évolution des sociétés. Le terme «école» vient du mot grec *skholê,* qui voulait dire loisir... puis, lieu d'étude. Dès le Ve siècle avant notre ère, on transmettait déjà des connaissances dans des lieux bien définis.

Le philosophe grec Platon, par exemple, enseignait près d'Athènes dans les jardins d'Akadêmos. Encore aujourd'hui, on appelle parfois «académie» l'endroit où des maîtres transmettent leur savoir.

Un esclave de la famille conduisait, chaque matin, les enfants à l'école. C'était le pédagogue. Il était chargé du soin des enfants. Le pédagogue deviendra, au cours des siècles, la personne chargée de leur éducation. Un esclave! Eh oui!... Tous n'étaient pas citoyens. Seuls ces derniers avaient des privilèges. Les filles, cependant, même des familles de citoyens, étaient exclues de l'école. Aller à l'école, c'était un privilège.

Les Romains, eux, ont transformé ce privilège en droit, mais uniquement pour leurs citoyens. Le maître enseignait à ses disciples dans un lieu nommé «gymnase». La chance d'apprendre de façon plus formelle était accordée à un plus grand nombre de personnes.

Les Romains possédaient un empire qui s'étendait à presque toute l'Europe et à une partie de l'Asie. Leur langue, le latin, était la langue de communication dans les affaires et l'administration. Par elle, la culture et les idées des Romains ont été diffusées à la grandeur de leur empire.

Au Moyen Âge, parler latin était, en Europe, un signe de grande connaissance. Les seigneurs et de nombreux membres de l'Église maîtrisaient cette langue. C'étaient eux, les savants de l'époque. Le savoir philosophique et scientifique se concentrait dans les bibliothèques des monastères.

Extrait de «Skolê? Schola? École!», *Sous un même soleil*, Éditions Jeunesse, ACDI, Montréal, hiver 1990, p. 6.

1 Sujet: _____

2 Quelle est l'origine du mot école?

_____

_____

3 Où enseignait-on

a) chez les Grecs?

_____

_____

_____

b) chez les Romains?

_____

_____

_____

c) au Moyen Âge?

_____

_____

_____

4 Que penses-tu du texte que tu viens de lire ?

_____

_____

_____

5 As-tu des souvenirs de ta plus belle année d'école ?

_____

_____

_____

_____

_____

Prendre l'habitude de sélectionner l'essentiel, de retenir ce qui est important, te permet de rendre les choses plus claires dans ta tête, de ne pas encombrer ta mémoire. Pour retenir l'essentiel, souligner ce qui te semble important, noter un mot clé dans la marge, tu peux te faire un schéma, un dessin avec des mots. Trouve ta façon à toi!

À partir du texte *Aurélia* (page 14), prépare une série de cinq questions sur le texte. Fais ensuite lire tes questions à une personne de ton entourage et demande à cette personne d'en faire autant. Échangez vos questions et répondez ensuite chacun de votre côté. Discutez des réponses et voyez si vous avez la même perception du texte.

Tes questions :

1 _____
_____
_____

2 _____
_____
_____

3 _____
_____
_____

4 _____
_____
_____

5 _____
_____
_____

Prendre l'habitude d'échanger sur une lecture te permet d'améliorer ta compréhension d'un texte et c'est drôlement amusant et enrichissant de constater que tout le monde n'a pas la même façon de voir les choses.

Volet écriture

Apprendre à écrire, c'est essentiellement apprendre à utiliser correctement les conventions de la langue pour communiquer.

La maîtrise de l'habileté à lire est préalable à la maîtrise de l'habileté à écrire. En effet, la lecture fournit à votre enfant de nombreuses occasions de se familiariser avec les multiples structures de l'écrit et de les intégrer petit à petit.

Écrire est une tâche difficile. Les conventions à respecter se comptent par milliers et la logique de la communication est exigeante. On n'apprend pas à écrire une fois pour toutes. Il s'agit d'un processus en constante évolution. Cependant, plus votre enfant « devient conscient de ses lecteurs potentiels, plus il est attentif aux exigences de la communication : il constate que l'articulation et la cohérence des idées et des phrases, le choix des mots, une syntaxe correcte, des phrases reliées, variées et bien ponctuées facilitent la compréhension d'un texte et suscitent l'intérêt de ses destinataires. » C'est donc en écrivant qu'on apprend à écrire.

Comme la lecture, l'écriture peut aussi se diviser en cinq étapes :

- la planification ;
- la rédaction ;
- la révision ;
- la correction ;
- l'évaluation de sa démarche.

> Grâce à une pratique régulière et variée d'activités d'écriture, l'élève s'initie au plaisir d'écrire pour soi et pour communiquer.

À l'école, les enfants apprennent à écrire en suivant ces étapes, mais elles ne se réalisent pas nécessairement de façon linéaire. Certaines personnes ont une petite idée de départ et créent au fur et à mesure en écrivant. D'autres se font un plan très détaillé et le suivent à la lettre. « Par ailleurs, chaque scripteur doit personnaliser sa façon d'écrire, que ce soit dans le choix de ses sources d'inspiration, l'organisation de son texte ou les modalités de révision et de correction. En raison de la diversité des styles d'apprentissage, certaines stratégies peuvent lui convenir mieux que d'autres et il importe de les privilégier. »

Les composantes proposées par le MEQ pour développer la compétence en écriture sont les suivantes :

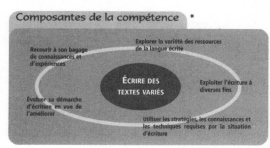

- Recourir à son bagage de connaissances et d'expériences.
- Explorer la variété des ressources de la langue écrite.
- Exploiter l'écriture à diverses fins.
- Utiliser les stratégies, les connaissances et les techniques requises par la situation d'écriture.
- Évaluer sa démarche d'écriture en vue de l'améliorer.

* Tiré du *Programme de formation de l'école québécoise*, ministère de l'Éducation, 2001, p. 78.

STRATÉGIES À DÉVELOPPER	PAGES
1. Évoquer un contenu possible (exploration et choix des idées). Pour démarrer un projet d'écriture, l'enfant doit tenir compte de plusieurs éléments : a) Le sujet : de quoi va-t-il traiter ? b) L'intention d'écriture : pourquoi écrit-il ? c) Le destinataire : qui lira le texte ? L'enfant doit aussi préciser quel est le type de texte qu'il compte écrire. Veut-il : a) informer ? b) raconter un fait réel ou imaginaire ? c) faire connaître son opinion ou ses goûts ? d) inventer ou non des personnages ? On peut aider l'enfant à bien définir ces éléments en lui posant des questions. Quand son projet est clair, on peut l'inviter à écrire toutes les idées qui lui viennent en tête. C'est l'étape créative. Le plan de rédaction peut ensuite aider l'enfant à organiser ses idées. Exemple de plan : 1. Sujet Personnage(s) Lieu Moment Événement Dénouement 2. Introduction Développement Conclusion	29 et 33
Vocabulaire à maîtriser: texte, sujet, intention d'écriture, destinataire.	
2. Anticiper l'organisation du texte et en dresser le plan. Selon le type de texte, l'enfant doit apprendre à organiser ses idées. Plusieurs plans s'offrent à lui pour regrouper les actions, les faits ou les éléments de son texte : • l'ordre chronologique des événements ; • les actions d'un récit (début, milieu, fin) ; • les idées qui se rapportent à un même aspect ; • l'effet désiré. Pour travailler son plan de rédaction, l'enfant doit organiser ses phrases en paragraphes. On doit également reconnaître dans son texte une introduction, un développement et une conclusion.	30 à 36
Vocabulaire à maîtriser: texte, paragraphe.	

Changez de médium pour inciter votre enfant à écrire : papier de couleur, crayons de couleur, ordinateur, plume, etc.

STRATÉGIES À DÉVELOPPER	PAGES
3. Reconnaître la nature des mots. L'enfant de 4ᵉ année doit pouvoir reconnaître la nature des mots. C'est un préalable pour pouvoir bien écrire. En regardant un mot, votre enfant doit s'interroger sur la nature de ce mot pour l'accorder, le conjuguer ou le laisser tel quel s'il est invariable. Cet objectif n'est pas nouveau, mais à mesure que le vocabulaire de l'enfant s'enrichit et que ses phrases se complexifient, il est parfois difficile pour lui de reconnaître certains mots.	38, 39 et 61
4. Reconnaître et utiliser les groupes qui constituent la phrase. Une phrase bien structurée doit comporter un sujet, un verbe et un complément. L'enfant doit être capable de repérer ces groupes de mots. Il doit aussi être en mesure de composer divers types de phrases simples : affirmatives, impératives, négatives et interrogatives. En se relisant, il doit pouvoir vérifier l'ordre des constituants, ajouter ou enlever des mots (adverbe, préposition) pour bien traduire sa pensée. Votre enfant doit aussi employer les mots de relation de façon appropriée.	40, 41, 42 et 45
Vocabulaire à maîtriser : groupe sujet, groupe verbe, groupe complément, marqueurs de relation, préposition.	
5. Enrichir ses phrases. L'enfant qui écrit de façon spontanée doit prendre le temps de se relire pour améliorer ses phrases. Plusieurs stratégies l'aideront à rendre son texte plus attrayant, plus intéressant ou plus précis. Il doit, entre autres, repérer les passages à améliorer, réfléchir à des modifications possibles, lire oralement son texte à des gens pour obtenir des suggestions d'amélioration, choisir parmi les suggestions obtenues celles qui semblent le plus appropriées et modifier son texte en conséquence.	39, 43 et 44

Demandez à votre enfant d'écrire des listes : liste de cadeaux pour sa fête, liste d'effets pour les bagages. Demandez-lui ensuite de choisir l'essentiel. Ces petites activités lui permettront de comprendre le côté utilitaire de l'écriture.

Profitez de toutes les occasions pour inviter votre enfant à prendre plaisir à écrire : carte d'invitation, menu, chasse au trésor, etc.

STRATÉGIES À DÉVELOPPER	PAGES
6. Reconnaître et utiliser plusieurs types et formes de phrases. En reconnaissant les différents types (déclarative, interrogative, exclamative, impérative) et formes (affirmative et négative) de phrases, l'enfant se familiarise avec les variétés de phrases et leur construction. Il sera en mesure de s'en servir plus habilement s'il sait quand s'en servir, comment les composer et les orthographier. Certaines difficultés sont courantes dans la construction des phrases: • pour la forme négative, l'enfant omet souvent le *ne* : « J'ai pas faim » ; • pour les phrases interrogatives, l'enfant les structure souvent incorrectement : « Tu veux-tu m'aider à faire mes devoirs ? » ou « Tu prends tes souliers avant de partir. » (omission du point d'interrogation).	47
7. Ponctuer correctement. L'enfant doit être capable de placer la majuscule s'il s'agit du premier mot de la phrase ou si ce mot est précédé d'un point. Il doit aussi être en mesure de mettre les points appropriés à la fin de chaque phrase et d'utiliser les virgules dans les énumérations. Dans une énumération, les éléments sont séparés par des virgules. En général, le dernier élément est précédé de *et* (sans virgule). Les éléments doivent être de même catégorie : « J'aime nager, courir et la danse. » (danser). « Nous possédons un ordinateur, une calculatrice et le téléphone sans fil. » (un).	48 et 49
Vocabulaire à maîtriser: majuscule, phrase, point, point d'interrogation, point d'exclamation, virgule.	
8. Utiliser un vocabulaire précis, correct et varié. Que ce soit en parlant ou en écrivant, l'enfant doit apprendre à s'exprimer avec précision en employant des mots justes. En constante évolution, son vocabulaire s'affine, s'enrichit. Que ce soit pour nommer, qualifier ou décrire des personnes, des objets, des événements, des émotions, son opinion, il doit prendre l'habitude de bien s'exprimer. Lorsque vous entendez : « C'est l'fun », « c'est plate », « c't'affaire-là », « t'sé veux dire » ou lorsque vous entendez des anglicismes, invitez votre enfant à préciser sa pensée ou à utiliser le terme juste. Consultez un dictionnaire au besoin.	50 et 51
Vocabulaire à maîtriser: antonyme, synonyme, pronom.	

Faire des mots croisés à deux, c'est amusant et ça enrichit drôlement le vocabulaire. Multipliez les occasions de faire trouver différents mots à votre enfant pour qualifier ce qu'il voit. En regardant un coucher de soleil, une tempête, un paysage, amenez-le à enrichir son vocabulaire.

Français

STRATÉGIES À DÉVELOPPER	PAGES
9. Utiliser une orthographe conforme à l'usage. Écrire correctement les mots est un apprentissage qui demande observation, attention, mémorisation, pratique et volonté d'écrire sans faute. Même si l'orthographe d'un mot semble apprise, elle n'est pas acquise. Les mots de vocabulaire sont à étudier fréquemment, plutôt qu'intensivement : plusieurs petites périodes d'étude par semaine sont préférables à une longue séance. Un préalable à l'apprentissage de l'orthographe d'un mot est, bien sûr, de connaître et de comprendre le sens de ce mot. Voici une façon d'aider votre enfant à mémoriser l'orthographe d'un mot : 1. faire copier le mot qui présente une difficulté, l'observer ; 2. faire épeler le mot lettre par lettre ; 3. lui demander de fermer les yeux et de tenter de voir le mot dans sa tête tout en l'épelant ; 4. écrire le mot sans le regarder ; 5. vérifier le mot ; 6. échanger avec lui sur la difficulté que présente le mot, sur ses pièges, chercher avec lui un truc pour mémoriser le mot et consulter le dictionnaire au besoin. Par ailleurs, on ne devrait pas passer sous silence un mot mal orthographié sous prétexte qu'il n'apparaît pas dans la liste de l'échelle de vocabulaire suggérée par le ministère de l'Éducation du Québec en 4e année.	52 et 53
Vocabulaire à maîtriser : homophone, nom, adjectif, verbe.	
10. Accorder en genre et en nombre. Pour accorder en genre et en nombre le groupe du nom, votre enfant doit d'abord identifier le nom, son déterminant et le ou les adjectifs et les participes passés l'accompagnant (placés immédiatement avant ou après le nom). Il doit en identifier le genre et le nombre, et faire l'accord qui s'impose. Le nom est « contagieux », il donne le genre et le nombre à plusieurs mots qui se regroupent près de lui. Pour ce qui est des exceptions (pluriel des mots composés, des adjectifs de couleur), on peut se référer au dictionnaire ou à une bonne grammaire.	55 à 57

Plusieurs jeux sur le marché sont utiles pour améliorer l'orthographe et le vocabulaire de l'enfant : *Scrabble, Jeu du dictionnaire, Vocabulon, Boogle*, etc.

STRATÉGIES À DÉVELOPPER	PAGES
11. Accorder le verbe avec son sujet. Cette notion est très importante en écriture, puisqu'on doit s'en servir très souvent. L'enfant doit prendre le temps d'identifier le sujet du verbe pour bien accorder ce dernier. L'erreur la plus fréquente est celle qui consiste à accorder le sujet avec le ou les mots qui précèdent le verbe. Ex.: Je vous diz. Rappelez à l'enfant la question clé qui permet d'identifier le sujet: «qu'est-ce qui?» ou «qui est-ce qui?» juste avant le verbe.	58 et 59
12. Accorder les auxiliaires et les verbes aux temps simples. Au deuxième cycle, l'enfant apprend à conjuguer les verbes fréquents aux temps suivants: présent, passé composé, imparfait et futur simple de l'indicatif, conditionnel, subjonctif et impératif présent.	60, 62 et 63

Une page blanche, c'est bien embêtant. Avant d'écrire, tu dois t'interroger pour savoir quoi écrire :

1. **Mon sujet :** De quoi vais-je parler ? Qu'est-ce que je connais sur ce sujet ? Ai-je déjà lu des textes ou vu des émissions à ce sujet ? Est-ce que ce sujet me rappelle un événement, une expérience ? Dois-je trouver plus d'information avant d'écrire ?...

2. **Mon intention :** Pourquoi j'écris ? Pour informer quelqu'un, pour dire ce que je connais, pour raconter un événement, pour amuser, pour inventer une histoire, pour demander de l'information, pour souhaiter de bons vœux, pour donner mon appréciation, pour exprimer mes goûts ?...

3. **Mon destinataire :** Qui lira mon texte ?
   • une personne que je connais : ami, parent, oncle, etc. ;
   • une personne que je ne connais pas : le directeur d'une compagnie, un enfant étranger, etc. ;
   • plusieurs personnes : un groupe d'enfants, mon équipe de hockey, etc. ;
   • des personnes plus jeunes ou plus âgées que moi ;
   • une personne imaginaire : un extraterrestre, un arbre, un oiseau, etc.

1 Tu trouveras quelques images d'une bande dessinée à la page suivante. Compose une histoire qui convient à ces dessins. Tout d'abord, écris 4 ou 5 phrases pour raconter ce qui se passe dans chacune des vignettes, puis essaie ensuite de trouver un dénouement drôle à cette histoire.

Avant de commencer, réponds aux questions :

De quoi vais-je parler ? _____

Qui lira le texte ? _____

Pourquoi j'écris ? _____

Définis ensuite les principaux éléments de ton texte :

Personnages : _____

Lieu : _____

Moment : _____

Événement principal : _____

_____

Dénouement (conclusion) : _____

_____

Vignette 1 :

_____
_____
_____
_____
_____
_____

Vignette 2 :

_____
_____
_____
_____
_____
_____

Vignette 3 :

_____
_____
_____
_____
_____
_____

Vignette 4 :

_____
_____
_____
_____
_____
_____

2 Regarde bien l'illustration ci-dessous. Écris le plus grand nombre de mots ou d'expressions pour nommer ou décrire les éléments représentés dans cette illustration.

_____

_____

_____

_____

_____

_____

_____

_____

_____

_____

_____

_____

_____

_____

_____

Regroupe maintenant les mots trouvés en catégories
(ex. : personnes : enfant, adulte, garçon, livreur, etc).

Catégorie	Mots
_____	_____ _____
_____	_____ _____
_____	_____ _____
_____	_____ _____
_____	_____ _____

Utilise les mots de ton choix pour composer un texte qui raconte
ce qui se passe dans l'illustration de la page précédente.

_____
_____
_____
_____
_____
_____
_____
_____

Prendre l'habitude de
clarifier tes idées avant
de commencer à écrire
te permet d'écrire avec
plus de facilité.

Quand tu présentes un travail de recherche, ton travail se divise principalement en trois parties :
• au début, dans la partie qu'on appelle aussi l'introduction, tu présentes ce
dont tu parleras en piquant la curiosité de ton lecteur ;
• au milieu, dans le développement, tu expliques les différents aspects de ton
sujet en regroupant les phrases en paragraphes ;
• à la fin, dans la conclusion, tu donnes ton point de vue, tu résumes ce que
tu as appris, tu exprimes un désir, un souhait.

1 Laurie a commencé sa recherche sur les loups. Sur chacune de
ses fiches de lecture, on trouve une phrase. À toi de décider si tu
dois t'en servir pour l'introduction (i), le développement (d) ou
la conclusion (c).

a) Au parc de la rivière Jacques-Cartier, les visiteurs
peuvent participer à des soirées d'appel des loups. (___)

b) J'ai beaucoup appris sur les loups et je crois que je
n'aurai plus peur si j'entends leurs cris dans la nuit. (___)

c) Connaissez-vous les loups ? (___)

d) Les loups hurlent pour signaler que le territoire leur appartient ou pour appeler les autres membres de la meute. (___)

e) Une meute compte entre cinq et huit loups. (___)

f) Pour appeler les loups, il faut d'abord les repérer par
leurs traces, les attirer avec des appâts (branches
trempées dans des «parfums pour loups») et tenter
sa chance en faisant «Hooooou !» (___)

g) Les louveteaux ne sortent de la tanière qu'à partir de
l'âge de deux mois. (___)

h) Je me suis intéressée aux loups parce que toute petite,
j'avais peur des grands méchants loups dans les histoires. (___)

i) Dans ma recherche, je vous parlerai de la meute, des
louveteaux, des hurlements des loups et de l'appel
des loups. (___)

j) La meute est dirigée par une femelle et un mâle
dominants. (___)

2 Faire une recherche, c'est lire, prendre des notes, organiser ses idées et enfin rédiger. Voici quelques notes et un plan de texte. Lis d'abord ces notes et identifie à quel paragraphe tu associes chacune d'elles dans le plan. Récris ensuite ces phrases dans tes mots dans les paragraphes appropriés. N'oublie pas de les placer selon un ordre logique !

La santé fragile des enfants dans le monde

a) Heureusement, il existe des médicaments pour guérir ces personnes si elles sont soignées à temps.

b) En travaillant aux champs, en gardant des troupeaux ou simplement en jouant, les jeunes ramassent, marchent ou donnent un coup de pied sur une mine ou une bombe non désamorcée et tout explose...

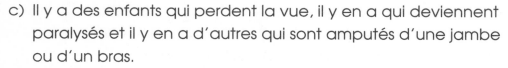

c) Il y a des enfants qui perdent la vue, il y en a qui deviennent paralysés et il y en a d'autres qui sont amputés d'une jambe ou d'un bras.

d) Ailleurs, c'est la guerre qui handicape les jeunes même lorsqu'elle est terminée.

e) Depuis une vingtaine d'années, il y a de l'espoir.

f) Dans certaines parties du monde, ce sont les moustiques, les mouches et les parasites qui vivent dans l'eau qui transmettent les maladies qui peuvent rendre les personnes handicapées.

g) Quelle peut bien être la cause de tant de problèmes si sérieux ?

h) Il leur sera extrêmement difficile, et pour certains même impossible, de travailler pour gagner leur vie. Ces jeunes dépendront de leur famille ou de leur communauté pour survivre.

i) Elles n'ont pas l'argent nécessaire pour acheter la nourriture dont elles ont besoin pour être en santé.

j) Des milliers de jeunes meurent ou deviennent handicapés parce qu'ils n'ont pas encore été vaccinés contre la polio, la coqueluche, la diphtérie, la rougeole, le tétanos et la tuberculose.

k) Lorsqu'une personne ne peut se nourrir sainement, elle s'affaiblit et attrape plus facilement des maladies.

l) La réponse n'est pas simple. Il n'y a pas qu'une seule cause à tous ces problèmes, il y en a plusieurs. D'abord, il y a des millions d'enfants qui sont mal nourris ; puis, il y a ceux qui ne sont pas vaccinés ; il y a ceux qui n'ont pas accès aux médicaments et enfin, il y a la guerre.

m) La vie sera toujours difficile pour ces jeunes qui sont devenus handicapés.

n) Il y a des moyens de prévenir par les vaccins, il y a des moyens de guérir par les médicaments et il y a un nouvel espoir, les membres artificiels qui redonnent une certaine autonomie aux personnes handicapées.

o) La principale cause derrière toutes ces causes, c'est la pauvreté. La très grande majorité des personnes qui vivent dans les pays en développement sont vraiment pauvres.

Extrait de « Bonjour toi ! », *Aujourd'hui quelque part*, Éditions Jeunesse, ACDI, Montréal, janvier 1993, p. 2 et 3.

Premier paragraphe : Causes multiples

Phrase(s) : _____

Mon texte : _____

_____

_____

Deuxième paragraphe : La pauvreté

Phrase(s) : _____

Mon texte : _____

_____

_____

Troisième paragraphe : Absence de soins appropriés

Phrase(s) : _____

Mon texte : _____

_____

_____

Quatrième paragraphe : L'eau, les insectes, les parasites

Phrase(s) : _____

Mon texte : _____

_____

_____

Cinquième paragraphe : La guerre

Phrase(s) : _____

Mon texte : _____

_____

_____

Sixième paragraphe : Conséquences

Phrase(s) : _____

Mon texte : _____

_____

_____

Septième paragraphe : Espoir

Phrase(s) : _____

Mon texte : _____

_____

_____

Prendre l'habitude de bien planifier ton texte te permet de mieux percevoir les étapes de ton écriture et d'enchaîner plus facilement tes idées.

Avant d'écrire un texte, vérifie la nature de chacun de tes mots.

Rappelle-toi que devant un mot que tu crois être un nom, tu peux te poser plusieurs questions :

- Est-ce que ce mot désigne une personne, un animal, une chose ou un sentiment ?
- Est-il accompagné d'un autre mot (adjectif ou autre nom) ?
- Ce mot est-il précédé d'un déterminant ?
- Peut-on mettre le déterminant *des* devant ce mot ?
- Ce mot a-t-il un genre ?
- Varie-t-il au pluriel ?
- Influence-t-il d'autres mots dans la phrase ?

Un déterminant est un petit mot qui accompagne habituellement un nom comme *le, la, un, une, les, des, au*. Il existe d'autres sortes de déterminants comme *ce, cette, son, mon, sa, quel*, etc.

L'adjectif ajoute quelque chose à la signification du nom : une *jolie* fleur. Il est parfois placé à côté du nom, parfois entre des virgules et parfois, après le verbe être : ce chien est **superbe**.
Il s'accorde en genre et en nombre avec le nom auquel il se rapporte.

Il y aussi des pronoms comme *je, tu, il, elle, on, nous, vous, ils, elles*, etc. Ces mots remplacent souvent un groupe du nom.

Le verbe exprime une action ou un état qui se situe dans le temps. Il se conjugue et s'accorde avec son sujet.

Il existe d'autres mots que tu connais peut-être déjà. Si tu doutes de la nature d'un mot, consulte un dictionnaire ou une grammaire. Même les adultes hésitent parfois sur la nature des mots.

1 Dans le texte suivant, trouve trois noms communs, trois adjectifs, trois verbes conjugués et trois déterminants.

Un éléphant s'est sauvé

La nouvelle se répand comme un feu de brousse. Le zoo d'une petite ville allemande vient de perdre Conti, un éléphant mâle d'Afrique. Son enclos est pourtant solide et comporte de hautes palissades. Mais, on a oublié une chose importante : l'intelligence des éléphants. Eh oui ! Même si Conti n'a jamais vu de neige en Afrique, il est suffisamment brillant pour savoir comment s'en servir. La nuit, il a poussé la neige sans arrêt et l'a piétinée jusqu'à ce qu'il soit capable de passer par-dessus la palissade. Ingénieux, n'est-ce pas ?

Nom commun	Adjectif	Verbe	Déterminant

2 Quel groupe du nom est formé avec le mot...

a) feu ? _____

b) chose ? _____

c) ville ? _____

3 Vrai ou faux ?

a) Le nom est masculin ou féminin. _____

b) Le verbe n'a pas de genre. _____

c) Le verbe se conjugue à différentes personnes. _____

d) Le nom se conjugue à différentes personnes. _____

e) La finale du verbe ne change pas, peu importe le moment de l'action. _____

f) La forme du nom reste la même, peu importe le moment de l'action. _____

4 Trouve un adverbe pour chacun des mots suivants.

a) lent _____

b) attention _____

c) fier _____

d) rapide _____

e) gentil _____

Prendre l'habitude d'identifier ou de vérifier la nature d'un mot te permet de savoir comment écrire ce mot.

1 Pour chacune des phrases suivantes, identifie le groupe sujet, le groupe du verbe et le groupe complément. À partir du groupe du verbe, trace une flèche jusqu'au groupe sujet et au groupe complément. Sur chaque flèche, écris la question qui a entraîné tes réponses.

Ex. : Le chat de Virginie *est* noir.
qu'est-ce qui?   *quoi?*
(GS)   (GV) (GC)

a) Nous irons chez grand-mère à Pâques.

b) Les parents de Sophie sont partis en voyage.

c) Le médecin examine attentivement

la brûlure de Marco.

d) Le pont mesurait certainement

un kilomètre de long.

e) Marcel m'a donné un cadeau.

Qu'est-ce que? et *qu'est-ce qui?* s'utilisent seulement dans une phrase interrogative. Utilise *ce* pour présenter quelque chose. On choisit toujours *ce* devant *qui, que, qu', dont*.

Ex. : **Qu'est-ce que** tu as dit?
J'ai réfléchi **à ce** que tu m'as dit *au lieu de* j'ai réflichi à **qu'est ce que** tu m'as dit.

2 Corrige la structure des phrases suivantes s'il y a lieu.

a) Ma sœur m'a dit qu'est-ce qu'elle voulait pour Noël.

_____

_____

b) Si tu veux savoir qu'est-ce qu'il fait, tu n'as qu'à le lui demander.

_____

_____

c) Ma mère me demande : « Qu'est-ce que tu veux pour déjeuner ? »

_____

_____

d) Qu'est-ce que Samuel pense de qu'est-ce qui est arrivé hier ?

_____

_____

e) Dis-moi qu'est-ce qui te dérange.

_____

_____

Les mots de relation sont souvent mal utilisés. Le *mais* en est un qui revient fréquemment.

Cette conjonction suggère l'idée d'opposition ou de restriction.
• J'aime la pizza, **mais** je déteste les champignons.
• Tu peux jouer avec le petit, **mais** ne cours pas, car il pourrait vouloir te suivre et tomber.

S'il n'y a pas d'opposition ou de restriction dans l'idée émise, on peut soit supprimer *mais*, soit le remplacer par un autre mot.
• **Mais** une fois rendus au sommet, nous avons pris une collation.
  Une fois rendus au sommet, nous avons pris une collation.
  (Suppression du *mais*.)
• **Mais** aussi, il y avait des lapins, des poules et des petits cochons.
  Il y avait aussi des lapins, des poules et des petits cochons.
  (Suppression du *mais* et déplacement du *aussi*.)
• Elle roulait à bicyclette, elle a frappé un caillou, **mais** elle est tombée.
  Elle roulait à bicyclette, elle a frappé un caillou puis elle est tombée.
  (Remplacement du *mais* par *puis*.)

3 Fais un **X** dans le ☐ s'il y a une idée d'opposition ou de restriction entre chaque groupe de phrases. Transcris les phrases qui présentent une idée d'opposition ou de restriction en ajoutant un *mais* pour les lier.

a) Clément veut aller jouer dehors.
   Il fait –30 °C. ☐

b) Le pâtissier prépare les chocolats de Pâques. Il les décore. ☐

c) Je joue au *Scrabble*.
   J'écris mon pointage. ☐

d) Clio aime se promener en auto.
   Elle a le mal des transports. ☐

e) J'adore les chats.
   Ma sœur est allergique. ☐

f) La planche à neige est populaire. Beaucoup de jeunes et d'adultes veulent pratiquer ce sport. ☐

g) La planche à roulettes est amusante.
   C'est parfois dangereux. ☐

h) Mes parents vont au restaurant ce soir. Ils fêtent leur anniversaire de rencontre. ☐

i) Je suis au centre de ski. Je m'amuse follement. ☐

j) J'adore l'Halloween et les bonbons. Ça donne des caries. ☐

_____

_____

_____

_____

_____

> **Prendre le temps de chercher les liens entre les mots que tu écris t'évite de faire des fautes.**

Tu peux effectuer plusieurs opérations sur tes phrases afin de les améliorer. Prenons un exemple : Vos dessins sont très beaux.

Tu peux :

- changer ou enlever un mot : Vos dessins sont superbes.
- inverser des éléments dans la phrase : Ils sont beaux, vos dessins.
- transformer la phrase déclarative en phrase exclamative : Comme ils sont beaux, vos dessins.
- ajouter un complément : Ils sont superbes, les dessins que vous faites avec vos pieds et vos mains.

D'autres transformations sont possibles, ton imagination et le respect de la langue sont tes seules contraintes.

1 À toi de jouer : enrichis les phrases suivantes d'au moins trois façons.

a) Ma sœur dort dans sa chambre.

_____

_____

_____

_____

_____

b) J'ai vu un chat noir.

_____

_____

_____

c) Les arbres étaient beaux.

_____

_____

_____

Pour enrichir tes phrases, tu peux aussi faire des comparaisons :
• J'ai vu un chat noir **aussi gros qu'une panthère**.
• La neige était légère **comme les plumes d'une colombe**.

2 Crée des comparaisons en pensant à au moins trois possibilités.
Pose-toi la question *Qu'est-ce qui est... ?*

Exemple : Aussi doux... que de la poudre, qu'une chenille, que du
velours.

a) Aussi lourd... :

_____

_____

b) Rouge comme... :

_____

c) Aussi épeurant... :

_____

_____

d) Aussi froid... :

_____

_____

Pour rendre un texte intéressant, évite les répétitions inutiles.
Exemple : J'ai mangé une pomme. J'avais cueilli cette pomme.
On peut écrire : J'ai mangé une pomme que j'avais cueillie.

3 Fusionne les phrases suivantes afin d'éviter les répétitions inutiles.

a) Je prépare un dessert. Mon père adore le dessert.

_____

_____

b) Mon grand-père est tombé. Mon grand-père s'est cassé la jambe.

_____

_____

c) J'irai faire le marché. J'irai m'acheter des chaussures.

_____

_____

d) J'ai un dessin à faire. C'est un dessin pour le concours de Pâques.

_____

_____

Il existe deux formes de phrases :
- Négative : qui utilise les mots de négation : *ne... pas*, *ne... jamais*, *ne... rien*, *ne... point*, *ne... plus*, *aucun ne...*, *personne ne...*.
  Ex. : **Ne** prends **pas** ce jouet, il m'appartient. Il **n'**y a **plus** rien à manger. **Aucun ne** semble aussi malade que lui.
- Affirmative : c'est une phrase exprimée positivement sans négation.
  Ex. : Je suis d'accord avec toi. Elle est venue ? C'est passionnant !

Pour chacune de ces formes, il existe quatre types de phrases :
- Déclarative : elle énonce une idée, un fait, elle te permet de donner ton avis et se termine par un point.
  Ex. : Je n'aime pas le chocolat. Chacun doit rester chez soi.
- Interrogative : elle te permet de poser une question et se termine par un point d'interrogation.
  Ex. : Aimes-tu le hockey ? Est-ce que tu veux me prêter ton ordinateur ?
- Exclamative : elle te permet d'exprimer une émotion et se termine par un point d'exclamation.
  Ex. : De l'eau, enfin ! Comme c'est agréable d'être en vacances !
- Impérative : elle permet de donner un ordre, un conseil ou de formuler un souhait, et se termine par un point.
  Ex. : Soyons donc amis. Finis ta soupe.

1 Identifie chacune des phrases suivantes en écrivant si elle est affirmative (a) ou négative (n). Indique ensuite de quel type de phrase il s'agit (d pour déclarative, i pour interrogative, e pour exclamative et im pour impérative).

a) Oh! Comme je serais contente de célébrer
   ton anniversaire !   (___) (___)

b) Où est-il, ce magasin ?   (___) (___)

c) Conduis-moi à sa cachette.   (___) (___)

d) Mon idée était géniale !   (___) (___)

e) Ne faudrait-il pas se dépêcher ?   (___) (___)

f) Ne prends pas ces fruits, ils semblent pourris.   (___) (___)

g) Ce n'est pas très drôle.   (___) (___)

h) N'as-tu jamais vu un éléphant vivant ?   (___) (___)

i) Pourquoi es-tu venue ?   (___) (___)

j) Je me demande où sont mes pantoufles.   (___) (___)

2 Compose une question pour chacune des réponses suivantes.
N'oublie pas les mots clés : *Est-ce que... Qu'est-ce que...*
Qui est-ce qui... Où... Comment... Quand... Pourquoi...

Ex. : Mexique : Où tes parents sont-ils partis ? Quel est le pays
                 d'Amérique du Nord où on parle l'espagnol ?
                 Dans quel pays mange-t-on des tacos ?

a) Sous le lit.

_____

b) Un chien errant.

_____

c) Au milieu.

_____

d) Quand il pleut.

_____

e) Dans une minute.

_____

Un des rôles de la virgule est de séparer les mots de même nature dans une énumération. On place une virgule entre tous les termes de l'énumération, sauf entre les deux derniers, où on remplace la virgule par la conjonction *et*.
Ex. : Le loup s'approche, renifle **et** saute sur sa proie.

1 Corrige les erreurs de ponctuation et utilise le *et* au besoin.

a) Je peux patiner sur la glace, sur le pavé.

_____

_____

b) J'aimerais devenir invisible voler dans les airs.

_____

_____

c) Je suis magicienne, je peux faire disparaître un sou et faire apparaître une balle et changer la couleur d'un foulard.

_____

_____

d) Pour apprendre, j'utilise mes yeux mes oreilles, ma tête.

_____

_____

e) La bête étrange avait trois doigts, un œil, six pattes.

_____

_____

2 Ajoute la ponctuation nécessaire à la compréhension du texte.

Marlène est mon professeur de natation Les enfants rient à gorge déployée en la voyant nager comme un dauphin un requin ou une grenouille Mais quand elle imite la baleine c'est le délire Plouf Aimerais-tu avoir Marlène comme professeur de natation

Prendre l'habitude de situer la ponctuation de ton texte te permet de comprendre sa logique et l'enchaînement des mots et des phrases.

Appeler les choses par un nom approprié, c'est bien important ! Dire au médecin que tu as mal au ventre, cela manque de précision. Dire au mécanicien que ta voiture fait un drôle de bruit, c'est un manque de vocabulaire pour désigner un problème. Prends l'habitude de te poser des questions :
• Quel est le nom de cette personne, cet animal ou cet objet ?
• Est-ce que le mot que tu emploies est juste ?
• Est-ce qu'il y en aurait un autre qui serait plus précis ?
• Comment peux-tu qualifier ce que tu vois ou ce que tu entends ?

Si ce que tu dis a de l'importance, prends la peine de bien le dire ou de bien l'écrire. Montre ta fierté de la langue française en utilisant toutes ses richesses.

1 Trouve au moins cinq adjectifs pour qualifier chacun des mots suivants.

Exemple : Une tempête peut être : vigoureuse, dévastatrice, énorme, épouvantable, inattendue, etc.

a) Une musique peut être :

_____

b) Une personne peut se sentir :

_____

c) Un bonbon peut être :

_____

d) Le ciel peut être :

_____

e) Une route peut être :

_____

2 Trouve le terme générique qui désigne chacune des listes de mots ci-dessous.

Exemple : Hockey, water-polo, plongeon, ski : sports.

a) Informaticien, agronome, mécanicien, dentiste :

_____

b) Mangue, kiwi, ananas, pomme :

_____

c) Minute, heure, seconde, jour :

_____

d) Noël, Pâques, Fête du Canada, Fête nationale :

_____

e) Œuf, larve, cocon, papillon :

_____

3 Dans le texte suivant, souligne les mots ou les expressions qui désignent Céline Dion.

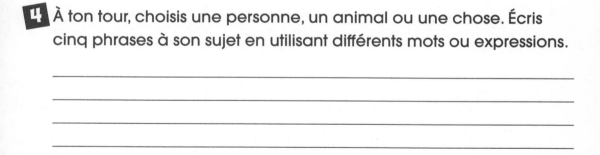

La chanteuse remporte un succès phénoménal partout dans le monde. Cette artiste québécoise vend ses disques à des millions d'exemplaires. La jeune femme se produit devant des salles bondées de spectateurs. Elle est au sommet de sa carrière.

4 À ton tour, choisis une personne, un animal ou une chose. Écris cinq phrases à son sujet en utilisant différents mots ou expressions.

_____

_____

_____

_____

_____

Prendre l'habitude de bien choisir tes mots te permet de mieux communiquer et d'être mieux compris.

Pour bien orthographier les mots, il est pratique d'avoir quelques trucs :
1. Associer une phrase au mot pour mieux s'en rappeler : pour le mot baigner : je me baigne dans une baignoire (le *ai* de baigne est le même que celui de baignoire) ;
2. Découper le mot en plusieurs petites parties : bon / homme ;
3. Se rappeler la formation du féminin de ce mot pour identifier la dernière lettre : froid et froide ;
4. Lui associer ou lui comparer un autre mot semblable : sel et gel ;
5. Se raconter une histoire pour s'expliquer l'orthographe du mot : abeille possède deux *l* parce qu'elle a deux ailes ;
6. Se rappeler une règle connue pour un mot semblable : campagne et framboise : on écrit un *m* devant *b*, *p* et *m*.

1 Regarde les mots suivants. Trouve dans ton dictionnaire un ou deux autres mots de la même famille. Écris tes réponses dans la colonne appropriée.

Verbe	Nom	Adjectif
Ex. : agrandir	grandeur	grand, grandissant
		fort
construire		
		droit
	main	
porter		

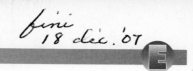
fini 18 déc. '07

> Lorsque deux mots se prononcent de la même façon, il est normal que tu hésites entre l'un et l'autre. Remplace ce mot par un synonyme ou un mot semblable pour vérifier le sens et choisir celui qui convient.
>
> 1. Mais, mes, mets : essaie *cependant*.
>   Exemple : J'aime les films d'horreur, **mais** ils me font peur.
>   J'aime les films d'horreur, **cependant** ils me font peur.
>
> 2. Sont et son : essaie *étaient* pour reconnaître le verbe.
>   Exemple : Les nuages **sont** bas.
>   Les nuages **étaient** bas.

2 Pour chaque phrase, souligne le mot qui convient.

a) Dans le ⎢porc⎢port⎢pore⎢ de Montréal, plusieurs bateaux sont entrés hier.

b) Je me suis perdu dans le ⎢champ⎢chant⎢ de maïs.

c) La maison ⎢la⎢là⎢las⎢-bas semble hantée.

d) En Thaïlande, on mange les vers à ⎢soi⎢soie⎢soit⎢.

e) Le jour ⎢où⎢août⎢ou⎢ je me suis fracturé la jambe, le médecin ⎢m'a⎢ma⎢ dit : « Tu as de la chance. »

f) Mes coéquipiers ⎢mon⎢m'ont⎢ encouragé quand j'ai cassé ⎢mon⎢m'ont⎢ bâton de hockey.

g) Le ⎢moi⎢mois⎢ de mai est le plus beau mois de l'année.

h) Ma mère ⎢m'a⎢ma⎢ demandé de faire le ménage de ⎢ma⎢m'a⎢ chambre.

i) J'aime bien ⎢mes⎢mais⎢ nouvelles bottes, ⎢mais⎢mes⎢ je crois que l'an prochain elles seront trop petites.

j) ⎢Ses⎢sais⎢ cartes de hochey le passionnent, il peut ⎢les⎢lait⎢ compter jusqu'à ⎢sans⎢cent⎢s'en⎢ fois.

fini 18 déc. 07 fr

3 Écris les mots suivants en ordre alphabétique.

a) barricade, basson, barrir, batterie

_____

b) appartement, appartenir, apprécier, argile

_____

c) cacaoyer, caniche, canin, cacahouète

_____

Prendre l'habitude de vérifier l'orthographe te sauve du temps. Si tu vérifies un mot dans le dictionnaire, essaie de le mémoriser. La prochaine fois que tu rencontreras ce mot, tu auras moins de doute!

Le pluriel d'un mot peut se former de plusieurs façons selon la finale de ce mot. Rappelle-toi :

- On ajoute généralement un *s* : un avion, des avion**s**.
- Un mot qui se termine par *x*, *z* ou *s* au singulier demeure invariable : un our**s**, des our**s**.
- Un mot se terminant par *ail* ou *al* se transforme en *aux* au pluriel. Il y a des exceptions : dét**ails**, r**ails**, chand**ails**.
- Il y a sept noms en *ou* qui prennent un *x* au pluriel : bij**oux**, caill**oux**, ch**oux**, gen**oux**, hib**oux**, jouj**oux**, p**oux**.
- Les mots en *eu* font *eux* au pluriel. Il y a des exceptions : pn**eus**, bl**eus**.
- Les mots se terminant par *au* et *eau* prennent un *x* au pluriel.

En cas de doute, consulte un dictionnaire !

1 Ajoute un *s* ou un *x* là où c'est nécessaire.

Au-dessus du mot, inscris f ou m (féminin ou masculin),

et s ou p (singulier ou pluriel).

a) Quand Marco porte des fardeau(___) trop lourds, il a des

mau(___) de tête.

b) Que c'est curieu(___), mon neveu(___) a les yeu(___) bleu(___)

et est couvert de bleu(___).

c) Les pneu(___) des autobus(___) sont cher(___).

d) Les jumeau(___) adorent les gâteau(___).

e) Mon cousin n'est pas peureu(___), il n'a pas peur du vieu(___)

voisin grincheu(___).

f) Les nez(___) des enfants enrhumés sont tout rouges.

g) Nous avons remis nos travau(___) au professeur.

h) Notre équipe de hockey participe à de

nombreu(___) tournoi(___).

i) Nous n'avons pas le choi(___), nous devons nous

laver les cheveu(___), nous avons des pou(___).

2 Dans le texte qui suit, souligne les adjectifs ou les participes passés employés sans auxiliaire qui accompagnent un nom en caractères gras. Justifie l'accord de ces groupes de mots en inscrivant au-dessus de ces mots f ou m (**f** pour féminin, **m** pour masculin), et s ou p (**s** pour singulier, **p** pour pluriel).

m p

Exemple : Les **papiers** <u>recyclés</u> sont expédiés à l'usine.

Dans un **zoo** fréquenté des États-Unis, le quartier des singes est en pleine effervescence. Une **maman chimpanzé** fatiguée vient de mettre au monde un **petit** inanimé : il ne respire pas ! C'est une question de vie ou de mort. Heureusement, un **vétérinaire** qualifié est là avec un **appareil à oxygène** très perfectionné.

Mais dès qu'il s'approche avec la machine de **métal** brillant, la maman chimpanzé bondit sur l'appareil et le renverse avec vigueur.

Tout semble fini pour le **petit** étendu par terre. Pendant que les employés du zoo se désolent, la maman chimpanzé se penche avec précaution sur son cher **petit**. On dirait qu'elle veut l'embrasser sur la bouche. Mais c'est plus que cela. Elle pratique un bouche à bouche en règle à son petit jusqu'à ce qu'il respire par lui-même. Faisant preuve d'une **compétence** incroyable, cette **femelle** débrouillarde vient de sauver la vie à son enfant. A-t-elle suivi des cours de secourisme ? En quelque sorte, oui ! Selon un grand **spécialiste** des primates, il semble que les **chimpanzés femelles** arrivées directement de la **forêt** vierge africaine en sont capables. Celles qui sont nées en captivité n'auraient pas acquis cette compétence. Il semble qu'en forêt, les mères chimpanzés transmettent cette compétence de sage-femme à leur fille.

3 Trouve le féminin des mots suivants. Identifie la nature de ces mots et formule ensuite une règle reliée à chaque liste de mots.

a) certain, clair, dur, plein

Féminin : _____

Nature des mots : _____

Règle : _____

_____

b) ancien, épais, gentil, bon

Féminin : _____

Nature des mots : _____

Règle : _____

_____

c) dangereux, délicieux, malicieux, frileux

Féminin : _____

Nature des mots : _____

Règle : _____

_____

d) conseiller, ouvrier, boulanger, policier

Féminin : _____

Nature des mots : _____

Règle : _____

_____

Prendre l'habitude de relire tous les mots que tu écris te permet d'éviter d'oublier des mots mal accordés.

Avant d'accorder le verbe avec son sujet, tu dois :
- repérer le verbe conjugué ;
- chercher le ou les sujets en posant la question *qui est-ce qui ?* ou *qu'est-ce qui ?* avant le verbe ;
- t'interroger sur leur nombre et leur personne ;
- au besoin, substituer le ou les sujets par un pronom de conjugaison ;
- au besoin, effacer l'écran qui sépare le ou les sujets du verbe ;
- te référer à un verbe modèle ;
- écrire la finale du verbe en accord avec son sujet.

Il est utile de se fier au sens de la phrase pour vérifier l'accord :
- Marouska a échappé l'assiette. Elle pleure. *Qui est-ce qui pleure ?* : **Elle** pour Marouska.
- Marouska a échappé l'assiette. Elle est en mille morceaux. *Qu'est-ce qui est en mille morceaux ?* **Elle** pour l'assiette.

1 Entoure la terminaison de chaque verbe conjugué et relie-la à son sujet.

Ex. : Mon frère ador**e** le yogourt aux fraises.

a) Toute la famille part pour l'Abitibi.

b) Mes grands-parents reviendront de la Gaspésie très bientôt.

c) Je vous souhaite un beau voyage en Estrie.

d) Marie et Hélène se baignaient dans le lac Massawipi.

e) Ma sœur et moi avons très hâte de partir pour le zoo de Granby.

2 Trouve le sujet de chaque verbe en caractères gras dans les phrases qui suivent. Remplace-le par un pronom. Rappelle-toi de poser la question *Qui est-ce qui ?* ou *Qu'est-ce qui ?* avant le verbe.

Phrase	Sujet	Pronom
Ex. : Luc se **lave** les mains.	Luc	Il
a) Le lapin et la colombe **semblaient** terrifiés en sortant du chapeau du magicien.		
b) La mère de Fanny **regarde** sa fille d'un air surpris.		
c) Toutes les blessures de Marie **ont disparu** après quelques jours.		
d) Les jumelles **participent** à une pièce de théâtre.		
e) Dans ce livre, on **parle** de la météo.		
f) Jennifer n'**a** pas de patins à roues alignées.		

3 Compose trois phrases en prenant un mot ou un groupe de mots dans chaque colonne. Complète les phrases au besoin.

J'	avait	de la peine
Elle	a	de la difficulté
Il	ai	du plaisir
Nous	ont	le goût
Ils	avons	du mal
Mes amis	auraient	du temps

_____

_____

_____

_____

_____

_____

Prendre l'habitude de chercher des liens entre les verbes et les sujets dans un texte te permet d'éviter des erreurs.

Avant d'accorder un verbe, il faut s'assurer de reconnaître le verbe et ses caractéristiques :
- le verbe indique un état ou une action ;
- le verbe change selon les mots qui précisent le temps : demain, hier, l'autre jour, etc. ;
- le verbe peut être encadré par *ne pas*.

Pour reconnaître si un mot est un verbe à l'infinitif, utilise *tu dois...* devant ce mot.
Ex. : soulier. *Tu dois soulier* : Ça ne fonctionne pas, donc ce n'est pas un verbe.

1 Souligne l'intrus dans chaque liste de mots.

a) fermier, fermer, frapper, friper

b) faire, maire, plaire, traire

c) vouloir, pouvoir, savoir, parloir

d) finir, bâtir, saphir, unir

e) partir, venir, tir, courir

Rappelle-toi les terminaisons aux différentes personnes :
avec je : *s*, *e*, *x*, et *ai* ;
avec tu : *s* et *x* ;
avec il, elle et on : *e*, *t*, *d* et *a* ;
avec nous : *ons* et *sommes* ;
avec vous : *ez* et *êtes*, *dites* et *faites* ;
avec ils et elles : *ent* et *ont*.

2 Complète le texte suivant en conjuguant les verbes aux temps et aux modes demandés.

En 1782, un jeune homme songer (présent de l'indicatif) _____ à une solution pour assaillir la forteresse de Gibraltar. Assis devant sa cheminée, il rêver (présent de l'indicatif) _____ en regardant la fumée qui monter (présent de l'indicatif) _____. Tout à coup, un éclair de génie lui traverser (présent de l'indicatif) _____ l'esprit. Il enlever (présent de l'indicatif) _____ sa chemise et l'attacher (présent de l'indicatif) _____ à un ruban. Il s'approcher (présent de l'indicatif) _____ de l'âtre et la lâcher (présent de l'indicatif) _____. La chemise s'envoler (présent de l'indicatif) _____ dans le conduit de la cheminée.

Cet homme s'appeler (imparfait de l'indicatif) _____ Joseph de Montgolfier.

Lui et son frère, passer (imparfait de l'indicatif) _____ beaucoup de temps à lire ou à bricoler. Leur rêve être (imparfait de l'indicatif) _____ de s'envoler. À la suite de cette expérience, les frères travaillèrent ensemble sans relâche pour perfectionner leur invention. En 1783, un ballon emporter (imparfait de l'indicatif) _____ un coq, un canard et un mouton au-dessus des jardins de Versailles. Puis, c'être (présent de l'indicatif) _____ au tour de deux braves de s'envoler dans cette étrange machine volante. La montgolfière venir (imparfait de l'indicatif) _____ de naître.

Activité 20

3 Place les verbes conjugués ci-dessous dans la colonne appropriée.

	Prés. ind.	Imp. ind.	Futur simple	Cond. présent
je				
tu				
il				
nous				
vous				
ils				

a) Quand j'étais jeune, je voyageais avec mes parents.

b) Nous étions au Togo, pays d'Afrique de l'Ouest.

c) Nous vivions dans une hutte.

d) Ces huttes étaient en boue et n'avaient pour porte qu'une ouverture.

e) Il fallait aller ramasser le bois et chercher l'eau chaque matin.

f) J'avais une cruche d'eau sur la tête.

g) Après le souper, nous bavardions tranquillement.

h) Certains racontaient des histoires.

i) Les gens étaient très chaleureux.

j) Plus tard, je retournerai dans ce pays.

k) J'irai voir mes amis.

l) Vous aimeriez visiter un pays comme celui-là ?

Prendre l'habitude de bien mémoriser les conjugaisons des verbes te fera sauver beaucoup de temps quand que tu écriras.

Volet communication orale

En classe, la compétence en communication orale se développe à travers les échanges spontanés de votre enfant avec l'enseignant et avec ses pairs, ou lors de présentations planifiées.

Les échanges spontanés peuvent prendre forme lors du retour de fin de semaine. L'enseignant demande souvent à ses élèves ce qu'ils ont fait durant le week-end. Les enfants s'expriment à tour de rôle, mettent en pratique une écoute active, réagissent les uns aux autres. C'est aussi l'occasion pour l'enseignant de corriger:

- les mots écourtés: *pas rap* (rapport);
- les mots déformés: *boîte de cartron* (boîte de carton);
- les mots inventés: *j'étais défuntisé*;
- les anglicismes: *c'était l'fun* (c'était amusant);
- les répétitions: *mon mon oncle* (mon oncle);
- les imprécisions: *la patente, l'affaire*;
- les phrases mal formulées: *si j'aurais étudié..., des professeurs que je parle, une émission drôle comme..., le gars que je travaille avec, un manteau plein de couleurs genre..., les Canadiens jousent mal à soère, j'avais venu, etc.*

Par ailleurs, lors d'une présentation planifiée, votre enfant prépare ce qu'il veut communiquer. Comme pour l'écrit, il doit:

- préciser son sujet;
- définir son intention;
- tenir compte de son interlocuteur.

Il doit ensuite choisir et organiser ses idées, planifier une introduction, un développement et une conclusion.

Les composantes proposées par le MEQ pour développer la compétence en français oral sont les suivantes:

- Explorer verbalement divers sujets avec autrui pour construire sa pensée.
- Partager ses propos durant une situation d'interaction.
- Réagir aux propos entendus au cours d'une situation de communication orale.
- Utiliser les stratégies et les connaissances requises par la situation de communication.
- Évaluer sa façon de s'exprimer et d'interagir afin de les améliorer.

NOTE: Les stratégies à développer pour ce volet sont abordées de façon globale dans toutes les activités proposées.

---

* Tiré du *Programme de formation de l'école québécoise*, ministère de l'Éducation, 2001, p. 82.

CRITÈRES D'ÉVALUATION LORS D'UNE COMMUNICATION ORALE

1. Adaptation des propos au contexte et aux interlocuteurs, et choix d'un registre de langue approprié.
- Votre enfant a-t-il choisi des informations pertinentes ?
- Possède-t-il des informations variées et de qualité ?
- Choisit-il son langage en fonction de ses interlocuteurs ?

2. Clarté des formulations utilisées (syntaxe et vocabulaire).
- Votre enfant emploie-t-il un vocabulaire approprié, varié et précis ?
- Votre enfant construit-il des phrases correctes ?
- Emploie-t-il les bons temps des verbes ?
- Ses mots sont-ils bien accordés (ex. : *une petite* escalier) ?

3. Utilisation appropriée des éléments prosodiques (rythme, intonation, débit, volume).
- Prononce-t-il correctement ?
- Son intonation est-elle bonne (ennuyante, chantante, etc.) ?
- Son débit est-il approprié (ni trop rapide ni trop lent, pauses et silences entre les phrases et entre les parties du discours) ?
- Son volume est-il approprié (juste assez fort) ?
- Sa posture, ses mimiques et ses gestes sont-ils appropriés ?

4. Réactions témoignant d'une écoute efficace.
- Votre enfant est-il dynamique et suscite-t-il l'intérêt de son auditoire ?
- Regarde-t-il les gens ?
- Est-il capable de s'adapter selon les réactions de son auditoire ?
- Écoute-t-il les questions et est-il capable d'y répondre ?

5. Efficacité des stratégies utilisées.
- Votre enfant utilise-t-il adéquatement le matériel visuel (schémas, dessins, diapositives, photos, affiches, tableaux, graphiques) ou les accessoires (appareil, montage, maquette, modèle, objets divers, etc.) pour favoriser la compréhension ?

La clé de la réussite est de permettre à l'enfant de s'entraîner, de pratiquer sa présentation. Par les commentaires des parents et des amis, l'enfant pourra s'améliorer, réduire son stress et prendre confiance en lui.

STRATÉGIES À DÉVELOPPER

1. Suivre les règles convenues pour un bon fonctionnement des échanges.
Votre enfant a souvent l'occasion de collaborer à un travail d'équipe. Il doit apprendre à rester centré sur le sujet, à poser des questions appropriées, à attendre son tour de parole, à écouter, à reformuler une question, un commentaire. Ces habiletés s'acquièrent par la pratique et par le développement d'attitudes de respect et d'ouverture aux autres.

2. Explorer verbalement un sujet.
Dans toute situation de communication orale, votre enfant doit se préparer afin d'interagir efficacement avec ses interlocuteurs. Parfois, comme dans le cas d'exposés oraux ou d'entrevues, cette préparation se fait en grande partie de façon très structurée, avant la communication. Mais en général, elle se fait spontanément, au fil de la conversation.

Dans ses interactions, votre enfant explore d'abord le sujet globalement, sans évaluer la pertinence de ses idées. Il est normal que son langage soit alors ponctué d'hésitations, de maladresses, de répétitions, de contradictions et aussi de moments de réflexion et de silence. Lorsque ses idées sont bien claires, il se centre alors sur celles qu'il choisit de retenir en fonction de ses interlocuteurs et se préoccupe de la manière de les dire (choix du vocabulaire, de la syntaxe, du registre de langue.) Il peut aussi décider de recourir à des gestes, des exemples, des illustrations ou des objets pour appuyer ses paroles.

À la maison, on peut apprendre à l'enfant à nuancer ses opinions. Au lieu de dire « C'est pas mangeable », on peut reprendre l'enfant et lui dire de s'exprimer différemment : « Ce n'est pas mon plat préféré, je n'aime pas ce goût. »

À la maison, invitez votre enfant à faire un tour de magie, à expliquer les étapes de réalisation d'un bricolage ou le fonctionnement d'un appareil.

STRATÉGIES À DÉVELOPPER

3. Partager ses idées, ses points de vue et ses sentiments et réagir à ceux des autres au cours d'interactions diverses.

Dans ses partages, votre enfant doit pouvoir structurer ses propos et les adapter selon ses interlocuteurs afin d'être bien compris. Il doit aussi utiliser l'intonation, le rythme, le débit et le volume appropriés pour appuyer ses propos. Dans ses interactions, il doit également questionner ses interlocuteurs et encourager leur intervention, ajuster ou préciser ses paroles (en expliquant, reformulant ou paraphrasant) en cas d'incompréhension et revenir au sujet si on s'en éloigne.

Votre enfant doit également développer de bonnes stratégies d'écoute face à ses interlocuteurs. Il adoptera donc une attitude d'ouverture à leur égard, prendra une posture d'écoute appropriée (attention, regard dirigé vers l'interlocuteur) et sera attentif à leur langage non verbal. Dans ses réactions à leurs propos, il utilisera le langage non verbal pour manifester son incompréhension, son intérêt, son accord ou son désaccord et vérifiera sa compréhension en posant des questions ou en reformulant ce qui a été dit.

À la maison, lorsque vous avez de jeunes visiteurs, invitez votre enfant à expliquer clairement les règles d'un jeu ou encore demandez-lui de justifier une règle en vigueur dans la famille.

Le but de la communication, c'est de parler pour être compris.
Avant de livrer un message, prends l'habitude de te questionner :
« Est-ce qu'on va comprendre ce que je dis si je formule ma phrase ainsi ? »
« Est-ce que ce que je veux dire est clair dans ma tête ? »
« À qui est destiné mon message ? »
« Cette personne connaît-elle déjà un peu le sujet ? »
« Quel est le but de mon message : convaincre, raconter, faire agir, expliquer, etc. ? »

Peu importe le travail que tu feras plus tard, tu auras à t'exprimer clairement.
Commence tout de suite à être un bon émetteur et aussi un bon récepteur.

1 Choisis une personne de ton entourage que tu aimerais connaître davantage.

Tu peux la choisir à cause de son passé : cette personne a vécu dans un autre pays, a connu la guerre, etc. Cela peut être à cause de son travail : un métier qui t'intéresse ou qui est non traditionnel. Ou encore à cause d'un événement particulier qui est arrivé à cette personne : visite, tournoi, accident, maladie, etc. Prépare 10 questions pour connaître cette personne et en savoir davantage sur ce qui t'intéresse. Choisis ensuite les cinq meilleures questions en mettant un asté- risque à côté de celles qui te semblent les plus pertinentes.

1. _____
   _____
   _____

2. _____
   _____
   _____

3. _____
   _____
   _____

4. _____
   _____
   _____

5. _____
   _____
   _____

6. _____
   _____
   _____

7. _____
   _____
   _____

8. _____

_____

_____

9. _____

_____

_____

10. _____

_____

_____

Tu te sens prêt ? Prends rendez-vous avec cette personne et pose tes questions !

2 Choisis des photos reçues récemment et qui t'inspirent. Raconte ensuite les circonstances entourant ces photos à une personne qui pourrait être intéressée à t'écouter.

Prends bien soin de nommer les personnes, de situer les lieux, de présenter les événements dans l'ordre, de décrire les activités qui s'y déroulent s'il y a lieu.

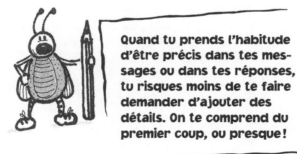

Quand tu prends l'habitude d'être précis dans tes messages ou dans tes réponses, tu risques moins de te faire demander d'ajouter des détails. On te comprend du premier coup, ou presque !

3 Regarde bien l'illustration ci-dessous. Demande à une personne de reproduire cette illustration sans la lui montrer.

Tu dois lui donner des indications sans lui dire de quoi il s'agit. Sois précis dans tes explications. Vérifie ensuite comment cette personne a compris ton message. As-tu donné suffisamment de détails ? As-tu donné des précisions (haut, bas, gauche, droite, etc.) ? Choisis une autre illustration et inversez les rôles.

La mathématique est la « bête noire » de certains élèves. On a souvent expliqué la situation de la façon suivante : « Il ou elle n'a pas la bosse des mathématiques. » Et pourtant... nul n'a jamais pu établir ni l'origine ni l'emplacement de cette prétendue « bosse » !

La mathématique nous met en contact, à sa façon, avec le monde qui nous entoure. Elle est avant tout une démarche concrète et pratique que votre enfant effectue depuis son tout jeune âge.

L'enfant qui, en mangeant une salade de fruits, sélectionne d'abord les morceaux de cerise, puis les morceaux de pêche et ainsi de suite, effectue une activité de classification. D'où proviennent donc les difficultés ?

On peut penser que, pour certains enfants, le passage du concret à l'abstrait se fait trop rapidement. Au secondaire, l'adolescente ou l'adolescent manipulera des concepts abstraits, mais il aura alors atteint le degré de développement intellectuel nécessaire pour le faire. Pour aider l'enfant du primaire à bien apprivoiser le monde de la mathématique, il faut respecter quelques règles de base.

- Toute notion nouvelle doit d'abord être présentée dans des situations concrètes, chargées de sens pour l'enfant. On doit lui laisser la possibilité de manipuler des objets concrets aussi longtemps que cela lui est nécessaire.

- Demandez souvent à votre enfant de justifier ses réponses, même si elles sont correctes. Il aura plaisir à vous démontrer sa démarche et, si celle-ci est incorrecte, il s'en apercevra probablement en tentant de vous l'expliquer.

- L'erreur est source d'apprentissage ! Habituez votre enfant à ne pas paniquer devant une solution incorrecte. Chaque fois qu'il comprend la cause d'une erreur, son degré de compréhension et de maîtrise d'une notion s'accroît.

Les activités qui suivent ont pour but de vous aider à **réviser** la majorité des savoirs essentiels contenus dans le programme d'enseignement. Assurez-vous que toute séance de travail avec votre enfant s'effectue dans le calme et la joie de la découverte.

ACTIVITÉ 1

Comprendre notre système de numération :
- nom et valeur de chaque position ;
- décomposition d'un nombre inférieur à 100 000 ;
- reconstitution d'un nombre à partir de ses composantes.

Explication de l'activité
- On n'a que 10 chiffres, de 0 à 9, pour exprimer toutes les quantités. Comment est-ce possible ?

  Grâce aux positions : 10 éléments à une position forment un élément d'une position supérieure, et vice versa.

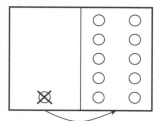

Dizaines de mille   Unités de mille

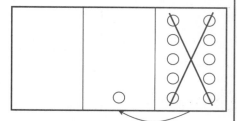

Centaines   Dizaines   Unités

Ainsi, le même chiffre a une valeur différente selon la position qu'il occupe. Dans 2020, le 2 de gauche vaut 2 000, l'autre ne vaut que 20.
- Vous pouvez demander à votre enfant d'utiliser la « planche à calculer » (voir page 92) avec des jetons pour résoudre tous les problèmes relatifs aux nombres et aux opérations.

Vocabulaire à maîtriser : chiffre, nombre, position, valeur, unités, dizaines, centaines, unités de mille, dizaines de mille.

fini 18 déc. '07

1 Quels nombres obtiendras-tu si tu réunis les différentes quantités exprimées sur les cartes désignées? Pour t'aider, utilise ta planche à calculer.

 **A** 15 dizaines   **B** 10 000    **C** 10 centaines    **D** 12 unités

E 2 dizaines de mille   **F** 500   **G** 40

a) A + B + G = ___ ___ ___ ___ ___   b) E + D = ___ ___ ___ ___ ___

c) B + C + F = ___ ___ ___ ___ ___   d) B + E = ___ ___ ___ ___ ___

2 Entoure l'album qui contient 13 centaines de timbres.

fini 18 déc '07 cv

3 Un imprimeur doit expédier 13 642 livres dans des caisses qui peuvent contenir chacune 100 livres.

Combien de boîtes complètes pourra-t-il remplir? _____

Combien de livres lui restera-t-il alors à expédier? _____

4 Relie le nombre aux différentes décompositions qui le représentent.

a) 12 000 + 800   b) 12 × 1000 + 8 × 10

12 080

c) 120 centaines + 8 dizaines   d) 12 dizaines de mille + 8

ACTIVITÉ 2

Lire et écrire tout nombre inférieur à 100 000.

Explication de l'activité

- En 4ᵉ année, votre enfant aborde pour la première fois les positions des unités et des dizaines de mille. Un espace doit séparer celles-ci des trois positions déjà connues : 23 645.
- Si un nombre ne contient que des unités de mille, cet espace n'est pas obligatoire : 2356 ou 2 356.
- L'enfant doit lire un grand nombre et l'écrire en chiffres. Comment l'aider à s'y retrouver ?
  Exemple : Quatre-vingt-quinze **mille** quatre **cent** soixante-dix-huit.

1. Concrétiser les différentes positions à l'aide de tirets :
   $$\underline{\quad}\ \underline{\quad}\ \ \underline{\quad}\ \underline{\quad}\ \underline{\quad}$$

2. Encercler les mots « mille » et « cent », et situer au bon endroit les nombres qui les précèdent.
   $$\underbrace{9\quad 5}_{\text{Mille}}\quad \underset{C}{4}\quad \underline{\quad}\ \underline{\quad}$$

3. Écrire la suite du nombre.
   $$\underbrace{9\quad 5}_{\text{Mille}}\quad \underset{C}{4}\quad 7\quad 8$$

Conseil pratique

Un peu d'entraînement !

Pour pratiquer la lecture des nombres :
- Écrire sur des cartons les chiffres de 0 à 9.
- Les placer de manière à former des nombres de 4 ou 5 chiffres.
- Déplacer ou changer un ou plusieurs cartons.
- Utiliser plusieurs zéros.

1 Écris à l'aide de chiffres les nombres en caractères gras.

La ville de Montréal a été fondée en **mille six cent quarante-deux**.

_____

Lors de l'achat de leur maison, mes voisins ont donné un premier chèque de **six mille huit cent quatre-vingt-douze** dollars.

_____

Lors d'un sondage, on a interrogé **quatorze mille quatre** personnes.

_____

Notre ville compte **soixante-quinze mille quatre-vingt-dix-huit** habitants. _____

2 Relie par une flèche chaque nombre en chiffres à son écriture en lettres.

a) Trois mille quarante •   • 13 314

b) Treize mille quatre •   • 3040

c) Quatre mille treize •   • 4400

d) Treize mille trois cent quatorze •   • 4013

e) Quatre mille quatre cents •   • 13 004

3 Entoure le billet gagnant.

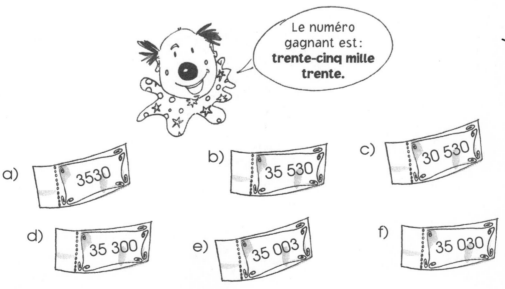

Le numéro gagnant est : **trente-cinq mille trente.**

a) 3530

b) 35 530

c) 30 530

d) 35 300

e) 35 003

f) 35 030

Mathématique

ACTIVITÉ 3

- Ordonner un ensemble de nombres en ordre croissant ou décroissant.
- Trouver le nombre placé avant, après, ou entre deux autres nombres.

Explication de l'activité
- **L'ordre croissant, c'est du plus petit au plus grand, ou vice versa ?**
  Associez l'ordre croissant (du plus petit nombre au plus grand) à la croissance de l'enfant qui grandit.
- Il faut accorder à chaque expression son véritable sens mathématique. Ainsi, le nombre qui vient immédiatement avant un autre n'est pas celui qui est placé à sa gauche mais celui qui contient une unité de moins. On peut écrire : 3999, 3998, 3997, etc.
- Dans les cas difficiles, demandez à votre enfant d'utiliser la planche à calculer présentée à la page 92 et d'effectuer les échanges nécessaires.

Vocabulaire à maîtriser : ordre croissant, ordre décroissant, nombre qui précède, nombre qui suit.

1 Tu dois remettre des factures en ordre. Écris les numéros des factures qui devront précéder immédiatement les factures suivantes.

a) _____, 3675

b) _____, 4800

c) _____, 6970

d) _____, 9000

2 Si chacun des enfants dont le nom est inscrit sur ce tableau gagne un point, quels seront les nouveaux pointages? Inscris-les dans la partie droite du tableau.

Marie	9989	Marie	_____
Jeffrey	9999	Jeffrey	_____
Karine	9009	Karine	_____
Paolo	9099	Paolo	_____

3 Ces wagons portent des numéros. Replace-les en ordre croissant.

_____

4 On a noté, chaque jour de la semaine, le nombre de skieuses et de skieurs qui ont acheté des billets.

Lundi	3409	Jeudi	4094
Mardi	4343	Vendredi	3943
Mercredi	3934		

Écris ces nombres en ordre décroissant.

_____, _____, _____, _____, _____

ACTIVITÉ 4

Arrondir un nombre. *Estimer*

Explication de l'activité

- Arrondir, c'est remplacer un nombre précis par un autre plus approximatif mais plus facile à retenir ou à opérer.
  Par exemple, 11 000 au lieu de 10 798.

- **Arrondir, c'est facile !**
  Exemple : Si on veut arrondir 34 675 au millier (ou à l'unité de mille) près :
  1. Identifier la position à arrondir et la portion du nombre à supprimer : 34(675).
  2. Se demander si 34 675 est plus près de 34 000 ou de 35 000.

  3. En bref, si la portion du nombre qu'on laisse tomber commence par un chiffre égal ou supérieur à 5, on ajoute une unité à la position qu'on veut arrondir.

Conseil pratique

Lorsque votre enfant ou vous-même avez plusieurs achats à effectuer, prenez l'habitude d'arrondir pour estimer le montant à débourser. On peut ainsi estimer au dollar près le coût du marché de la semaine !

1 Avant d'arrondir, inscris sur chaque droite numérique :

- les deux réponses possibles (aux extrémités) ;
- le nombre qui se situe exactement au centre ;
- le nombre à arrondir.

a) Arrondis 438 à la centaine près : _____

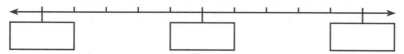

b) Arrondis 4635 à l'unité de mille près : _____

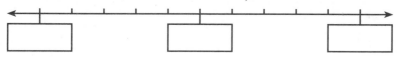

c) Arrondis 16 510 à la dizaine de mille près : _____

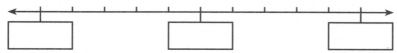

2 Samedi dernier, on a vendu 11 480 billets pour un concert en plein air. Un journaliste se demande s'il doit parler de 11 000 ou de 12 000 personnes présentes. Que lui suggères-tu ? Pourquoi ?

_____

_____

3 Mélanie a vu dans une vitrine le chandail dont elle a besoin. Elle arrondit le prix et dit à sa mère qu'il coûte 20 $. Quel peut être le prix réel de ce chandail ? Pense à toutes les possibilités, il y en a 9 !

_____

ACTIVITÉ 5

Développer de la rapidité et de la précision dans le calcul mental :
• Additionner mentalement des nombres de 1 ou 2 chiffres.

Explication de l'activité
Quelques trucs pour se faciliter la tâche !
• Toujours considérer d'abord le plus grand nombre : 9 + 5, plutôt que 5 + 9.
• **Sectionner le terme additionné** en deux ou plusieurs parties, de façon à remplacer une addition difficile par 2 ou 3 additions faciles. Pour ce faire, toujours s'arrêter aux multiples de 10.

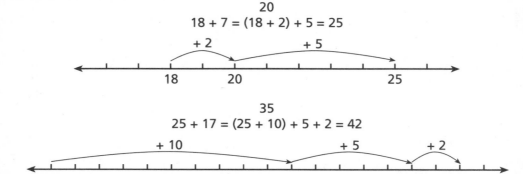

• Attention ! La retenue est une technique de calcul écrit qu'il faut absolument éviter en calcul mental.

Vocabulaire à maîtriser : addition, somme, terme, symbole (+).

Activité 5

1 Pour résoudre ces équations, sectionne le deuxième term[en] deux parties, de façon à obtenir 10 entre les parenthèses.

Exemple : 8 + 7 = (8 + 2) + 5 = 15

a) 7 + 5 = (7 + ___) + ___ = _____   b) 7 + 8 = (7 + ___) + ___ = _____

c) 6 + 7 = (6 + ___) + ___ = _____   d) 5 + 8 = (5 + ___) + ___ = _____

e) 8 + 6 = (8 + ___) + ___ = _____   f) 9 + 8 = (9 + ___) + ___ = _____

2 Résous ces équations. Attention ! On additionne parfois des unités, parfois des dizaines.

a) 27 + 10 = _____   b) 56 + 3 = _____   c) 85 + 10 = _____

d) 38 + 1 = _____   e) 67 + 20 = _____   f) 76 + 3 = _____

g) 49 + 10 = _____   h) 48 + 2 = _____   i) 54 + 30 = _____

3 Pour résoudre ces équations, additionne d'abord les dizaines, puis les unités.

a) 25 + 13 = 25 + 10 + ___ = _____   b) 42 + 15 = 42 + ___ + ___ = _____

c) 36 + 22 = 36 + ___ + ___ = _____   d) 54 + 33 = 54 + ___ + ___ = _____

e) 23 + 46 = 23 + ___ + ___ = _____   f) 65 + 34 = 65 + ___ + ___ = _____

4 Pour résoudre ces équations, applique toutes les stratégies déjà utilisées précédemment.

Exemple : 28 + 17 = 28 + 10 + 2 + 5 = 45

a) 36 + 15 = 36 + ___ + ___ + ___ = _____

b) 67 + 26 = 67 + ___ + ___ + ___ = _____

c) 55 + 28 = 55 + ___ + ___ + ___ = _____

d) 59 + 27 = 59 + ___ + ___ + ___ = _____

e) 48 + 17 = 48 + ___ + ___ + ___ = _____

f) 44 + 38 = 44 + ___ + ___ + ___ = _____

ACTIVITÉ 6

Développer de la rapidité et de la précision dans le calcul écrit :
- effectuer des additions de nombres dont la somme est inférieure à 100 000 ;
- estimer et vérifier le résultat d'additions.

Explication de l'activité

• **Estimer, pourquoi ?**

Nul n'est à l'abri d'une erreur de calcul mental ou d'une erreur de manipulation sur une calculette. Il est donc important d'avoir une idée approximative du résultat attendu. Pour estimer, on **arrondit** les nombres, procédé qui a été expliqué précédemment (voir page 8).

• **Comment vérifier son résultat ?**

On peut, bien sûr, refaire ses calculs une deuxième fois, mais si on a fait une erreur, on risque de la répéter, car il s'est écoulé peu de temps depuis le premier calcul.

Mieux vaut utiliser l'opération inverse, c'est-à-dire enlever ce qui a été ajouté.

Si 3679 + 5498 = 9177, alors 9177 − 3679 = 5498
et 9177 − 5498 = 3679

Estimer et vérifier sont deux activités essentielles. Elles permettent à votre enfant de réfléchir aux gestes qu'il fait plutôt que d'être un simple exécutant.

Conseil pratique

Additionner, c'est assez simple. Mais posez des questions à votre enfant pour vérifier sa compréhension profonde.

Par exemple :

1. Pourquoi aligne-t-on les chiffres en commençant par la droite et non par la gauche ?
2. Si 7 + 8 = 15, pourquoi met-on le 1 en retenue et non le 5 ?

Activité 6

1 Trouve les sommes. Si nécessaire, pose les nombres à la verticale.

a) 1046 + 326 + 5 = _____

b) 3647 + 18 + 435 = _____

c) 8 + 4845 + 607 = _____

2 Arrondis les nombres et estime les réponses avant de trouver les réponses exactes.

		Estimation			Estimation
a)	619 →	_____	b)	7387 →	_____
	+ 885 →	+ _____		+ 6759 →	+ _____
	_____	_____		_____	_____
c)	48 768 →	_____	d)	51 555 →	_____
	+ 37 454 →	+ _____		+ 49 999 →	+ _____
	_____	_____		_____	_____

3 Trouve les chiffres qui manquent dans les opérations suivantes.

a)
```
    6☐8
+   ☐3☐
  ☐ 397
```

b)
```
   7  60☐
+  6 ☐05
  1☐ 5☐0
```

c)
```
   1☐ 3☐5
+ 26 448
   6 52☐
  ☐1 ☐40
```

4 Les réponses de ces additions sont fausses. Identifie les erreurs qui ont été commises et corrige les sommes obtenues.

a)
```
  3 608
+   243
  6 009
```

b)
```
  3 652
+   348
     50
 12 132
```

c)
```
   8 739
+  4 256
  12 985
```

d)
```
      2
   6 078
+  2 651
   8 819
```

ACTIVITÉ 7

Développer de la rapidité et de la précision dans le calcul mental :
• Soustraire mentalement des nombres de 2 chiffres.

Explication de l'activité
Quelques trucs pour se faciliter la tâche !
• Comme pour l'addition, il faut sectionner le deuxième terme en deux ou plusieurs parties de façon à remplacer une soustraction difficile par 2 ou 3 soustractions faciles. Pour ce faire, toujours s'arrêter aux multiples de 10.

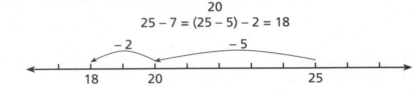

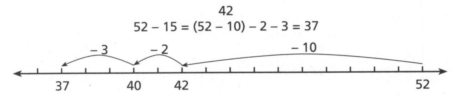

• Attention ! L'emprunt est une technique de calcul écrit qu'il faut absolument éviter en calcul mental.

Vocabulaire à maîtriser : soustraction, différence, terme, symbole (–).

Activité 7

1 Pour résoudre ces équations, sectionne le deuxième terme en deux parties, de façon à obtenir un multiple de 10 entre les parenthèses.

$$10$$

Exemple : $15 - 8 = (15 - 5) - 3 = 7$

a) $13 - 6 = (13 - \underline{\quad}) - \underline{\quad} = \underline{\quad}$

b) $24 - 9 = (24 - \underline{\quad}) - \underline{\quad} = \underline{\quad}$

c) $32 - 6 = (32 - \underline{\quad}) - \underline{\quad} = \underline{\quad}$

d) $45 - 9 = (45 - \underline{\quad}) - \underline{\quad} = \underline{\quad}$

e) $54 - 6 = (54 - \underline{\quad}) - \underline{\quad} = \underline{\quad}$

f) $75 - 8 = (75 - \underline{\quad}) - \underline{\quad} = \underline{\quad}$

2 Résous ces équations. Attention ! On soustrait parfois des unités, parfois des dizaines.

a) $15 - 1 = \underline{\quad}$

b) $48 - 3 = \underline{\quad}$

c) $59 - 5 = \underline{\quad}$

$26 - 10 = \underline{\quad}$

$75 - 20 = \underline{\quad}$

$68 - 40 = \underline{\quad}$

$37 - 1 = \underline{\quad}$

$34 - 4 = \underline{\quad}$

$72 - 20 = \underline{\quad}$

3 Pour résoudre ces équations, soustrais d'abord les dizaines, puis les unités.

a) $25 - 12 = 25 - 10 - \underline{\quad} = \underline{\quad}$

b) $38 - 15 = 38 - \underline{\quad} - \underline{\quad} = \underline{\quad}$

c) $49 - 25 = 49 - \underline{\quad} - \underline{\quad} = \underline{\quad}$

d) $77 - 34 = 77 - \underline{\quad} - \underline{\quad} = \underline{\quad}$

e) $84 - 33 = 84 - \underline{\quad} - \underline{\quad} = \underline{\quad}$

f) $68 - 45 = 68 - \underline{\quad} - \underline{\quad} = \underline{\quad}$

4 Pour résoudre ces équations, applique toutes les stratégies déjà utilisées précédemment.

Exemple : $35 - 18 = 35 - 10 - 5 - 3 = 17$

a) $34 - 16 = 34 - \underline{\quad} - \underline{\quad} - \underline{\quad} = \underline{\quad}$

b) $42 - 17 = 42 - \underline{\quad} - \underline{\quad} - \underline{\quad} = \underline{\quad}$

c) $53 - 25 = 53 - \underline{\quad} - \underline{\quad} - \underline{\quad} = \underline{\quad}$

d) $64 - 38 = 64 - \underline{\quad} - \underline{\quad} - \underline{\quad} = \underline{\quad}$

e) $71 - 34 = 71 - \underline{\quad} - \underline{\quad} - \underline{\quad} = \underline{\quad}$

ACTIVITÉ 8

Développer de la rapidité et de la précision dans le calcul écrit :
- effectuer des soustractions dont le premier terme est inférieur à 100 000 ;
- estimer et vérifier le résultat de soustractions.

Explication de l'activité

Votre enfant fait souvent des erreurs en soustrayant ? Analysez son travail pour retracer la source de ses erreurs.

1. Si les erreurs relèvent du calcul mental, le problème est mineur et des exercices semblables à ceux de la page précédente suffiront.

2.
$$\begin{array}{r} 3\,5\,0 \\ -\,1\,4\,6 \\ \hline 2\,1\,6 \end{array}$$

   L'enfant exécute 6 – 0 parce que cela lui est beaucoup plus familier que 0 – 6. Aidez-le à corriger cette tendance en lui faisant verbaliser sa démarche : « Il n'y a pas d'unité et je dois en enlever 6. Je vais me procurer des unités en empruntant une dizaine. » Etc.

3. En cas de difficulté importante avec les emprunts, vous pouvez demander à votre enfant d'utiliser la planche à calculer illustrée à la page 92.

Conseil pratique

Comme pour l'addition, habituez votre enfant à estimer et à vérifier ses résultats (voir page 12). S'il fait des erreurs, suggérez-lui simplement de réviser son travail. S'il les découvre et les corrige lui-même, il aura beaucoup appris !

1 Arrondis les nombres et estime les réponses avant de trouver les réponses exactes.

		Estimation			Estimation

a)   812 →   _____   b)   6342 →   _____

   − 379 → − _____   − 3685 → − _____

c)   35 046 → _____   d)   64 142 → _____

   − 15 253 → − _____   − 19 758 → − _____

2 Résous ces équations. Attention aux nombreux zéros! Pour t'aider, utilise ta planche à calculer (voir page 92).

a)   902   b)   6010   c)   8000
    − 347   −   345   − 3429

d)   12 000   e)   20 300   f)   80 000
   − 9 731   − 17 659   − 27 799

3 Trouve les erreurs qui ont été commises et corrige-les.

a)   4
    3541   b)   2 999
   − 2635   13 000   c)   69
    2914   − 2 765   7045
               10 234   − 3698
                            3357

4 Trouve les chiffres qui manquent dans les opérations suivantes.

a)   ☐8 2☐   b)   6 0☐1   c)   ☐0 0☐
   − 1☐☐9   − 3☐4☐   − 4 3☐7
    2 0 3 1   ☐5 2 8   4 ☐3 3

ACTIVITÉ 9

Résoudre des problèmes tirés de la vie réelle et impliquant une ou plusieurs opérations (additions et soustractions).

Explication de l'activité

Soustraire, c'est bien sûr enlever des éléments à un ensemble donné. Mais la soustraction sert aussi dans d'autres situations que votre enfant reconnaîtra peut-être plus difficilement.

1. **Chercher ce qui manque pour obtenir une quantité donnée.**

    Exemple : Jules doit parcourir une distance de 544 km. Après 245 km, il décide de s'arrêter pour se détendre et faire le plein. Quelle distance lui reste-t-il à parcourir ?

    ```
                                      ?
    |IIIIIIIIIIIIIIIIIII|————————————————————————|
    0                   245                      544
                    544 – 245 = ?
    ```

2. **Comparer deux quantités.**

    Lors d'une partie de dards, Anne a marqué 985 points, et Philippe, 740 points. Combien de points manquait-il à Philippe pour égaler le pointage d'Anne ?

    ```
                                            ?
    Philippe : |IIIIIIIIIIIIIIIIIIIIIIIIII|— — — — —|
               0                         740        985

    Anne :     |————————————————————————————————————|
               0            985 – 740 = ?            985
    ```

Conseil pratique

Plus les problèmes sont complexes, plus il est utile d'organiser les données à l'aide d'un schéma. La droite numérique, comme dans les exemples ci-dessus, est souvent utile pour résoudre les problèmes comportant des additions et des soustractions.

1 Une éditrice prévoit vendre 10 000 exemplaires
d'un ouvrage lors du premier mois de sa mise
en vente. Après 3 semaines, elle constate que
7329 exemplaires ont été vendus.
Combien de livres doit-elle vendre
encore pour atteindre son objectif?

Démarche :

Réponse : _____

2 Combien d'années se sont écoulées depuis la fondation de
Montréal en 1642 ?

Démarche :

Réponse : _____

3 Aux dernières vacances, Marie-Christine a fait un voyage en
Floride avec sa famille. Ils ont parcouru une distance totale de
2040 kilomètres. Le père de Marie-Christine a conduit durant les
680 premiers kilomètres, et sa mère, durant les 650 kilomètres
suivants. C'est son grand frère qui a ensuite pris le volant. Combien
de kilomètres leur restait-il à parcourir alors ?

Démarche :

Réponse : _____

4 Les membres du comité de parents de notre école ont amassé la
somme de 4034 $. Ils ont dépensé successivement des sommes de
249 $, 766 $ et 692 $ pour financer des activités offertes aux élèves
de l'école. De quelle somme d'argent disposent-ils encore ?

Démarche :

Réponse : _____

ACTIVITÉ 10

Développer de la rapidité et de la précision dans le calcul mental :
• Multiplier mentalement deux nombres inférieurs ou égaux à 10.

Explication de l'activité

La mémorisation des tables de multiplication présente un défi de taille pour plusieurs enfants. Si c'est le cas du vôtre, gardez en tête les principes suivants.

1. Motivez-le en lui rappelant à quel point la multiplication simplifie les calculs. En effet, il est tellement plus rapide de mémoriser $7 \times 8 = 56$ que d'additionner sept fois le huit ou huit fois le sept !
2. N'essayez pas de sauter des étapes. Attardez-vous à la table de deux et ne passez aux suivantes que lorsque celle-ci sera mémorisée.
3. Utilisez des moyens variés : représenter concrètement les opérations les plus difficiles, faire répéter les tables dans l'ordre, les faire entendre, utiliser des dés (en recouvrant les faces avec du papier cache et en y inscrivant les nombres désirés), etc.

Conseil pratique

N'oubliez pas qu'une fois le sens de la multiplication acquis, le reste n'est qu'une question de mémorisation. On apprend les tables en les répétant à la façon d'une comptine !

1 Une idée de jeu

Couvrez les surfaces de deux dés à jouer à l'aide de papier auto-collant et écrivez les nombres suivants sur les faces : 1er dé (4, 5, 6, 7, 8, 9), 2e dé (3, 4, 5, 6, 7, 8). Agrandissez la planche ci-dessous qui donne les résultats des multiplications.

Chaque joueur jette les dés, effectue mentalement la multiplication, cherche le produit sur la planche et pose un jeton sur le chiffre qui correspond au résultat.

12	49	16	21	32	27
30	28	48	56	24	72
28	54	35	20	56	48
42	20	45	24	32	36
25	40	24	63	15	30
18	35	36	40	42	64

Fixez un objectif à atteindre : 4 jetons formant une ligne ou un carré, etc. Laissez travailler votre imagination !

2 Es-tu un as de la multiplication ? Tu l'es sûrement si tu peux résoudre les équations suivantes en une minute ou moins

$4 \times 5 =$ _____ $6 \times 6 =$ _____ $8 \times 3 =$ _____

$3 \times 7 =$ _____ $5 \times 7 =$ _____ $6 \times 5 =$ _____

$6 \times 10 =$ _____ $7 \times 8 =$ _____ $4 \times 9 =$ _____

$5 \times 8 =$ _____ $9 \times 3 =$ _____ $5 \times 9 =$ _____

$2 \times 9 =$ _____ $7 \times 7 =$ _____ $3 \times 6 =$ _____

$6 \times 4 =$ _____ $3 \times 4 =$ _____ $9 \times 8 =$ _____

$8 \times 6 =$ _____ $10 \times 9 =$ _____ $6 \times 9 =$ _____

ACTIVITÉ 11

Mémoriser les tables de multiplication en lien avec les divisions correspondantes.

Explication de l'activité

La division est l'opération inverse de la multiplication. En effet, si $4 \times 3 = 12$ signifie qu'on obtient 12 avec 4 paquets de 3 ou 3 paquets de 4, inversement l'équation $12 \div 3$ signifie qu'avec 12 on peut constituer 4 paquets de 3 ou 3 paquets de 4.

Vous sauverez donc un temps précieux en associant les divisions aux multiplications. En effet, si l'on sait que $9 \times 3 = 27$, alors on sait également que $3 \times 9 = 27$, que $27 \div 3 = 9$ et que $27 \div 9 = 3$.

Conseil pratique

La division est plus difficile à comprendre et à mémoriser que la multiplication, probablement parce qu'on l'utilise moins souvent. On consacre en effet beaucoup de temps à la mémorisation des tables de multiplication, sans jamais même s'attarder aux tables de division, comme si l'enfant déduisait automatiquement les deuxièmes des premières ! Associez les deux de façon à former un tout. N'oubliez pas que pour apprendre efficacement il faut faire des liens entre les différents apprentissages !

1 Écris neuf divisions qui ont 6 pour quotient.

_____ ÷ _____ = 6   _____ ÷ _____ = 6   _____ ÷ _____ = 6

_____ ÷ _____ = 6   _____ ÷ _____ = 6   _____ ÷ _____ = 6

_____ ÷ _____ = 6   _____ ÷ _____ = 6   _____ ÷ _____ = 6

2 Écris deux multiplications et deux divisions qui peuvent être associées à chacune de ces illustrations.

a)
_____
_____

b)
_____
_____
_____

c)
_____
_____

3 Utilise les nombres suivants pour composer un nombre égal de multiplications et de divisions.

| 4 | 32 | 3 | 8 | 12 | 9 | 6 | 24 | 36 | 6 |

_____ × _____ = _____   _____ ÷ _____ = _____

_____ × _____ = _____   _____ ÷ _____ = _____

_____ × _____ = _____   _____ ÷ _____ = _____

_____ × _____ = _____   _____ ÷ _____ = _____

_____ × _____ = _____   _____ ÷ _____ = _____

_____ × _____ = _____   _____ ÷ _____ = _____

_____ × _____ = _____   _____ ÷ _____ = _____

_____ × _____ = _____   _____ ÷ _____ = _____

_____ × _____ = _____   _____ ÷ _____ = _____

_____ × _____ = _____   _____ ÷ _____ = _____

_____ × _____ = _____   _____ ÷ _____ = _____

ACTIVITÉ 12

Trouver le produit :
- d'un nombre de 3 ou 4 chiffres par un nombre inférieur à 10 ;
- d'un nombre de 2 ou 3 chiffres par un nombre de 2 chiffres.

Explication de l'activité

Pour multiplier des grands nombres, nous utilisons un algorithme, c'est-à-dire un ensemble de procédés qui nous permettent de parvenir rapidement à la bonne solution. Assurez-vous que votre enfant comprend bien cet algorithme.
Par exemple :

1. **Pourquoi ne multiplie-t-on pas la retenue ?**
   Illustrez cette multiplication sur une planche à calculer :
   $375 \times 4 = (4 \times 300) + (4 \times 70) + (4 \times 5)$
   On obtient : $1\ 200 + 280 + 20 = 1\ 500$
   Si on multiplie la retenue, on obtient : $(4 \times 5) + (4 \times 90) + (4 \times 600)$, ce qui modifie grandement l'équation de base.

2. **Pourquoi mettre un 0 à la deuxième ligne** quand on multiplie par un nombre à deux chiffres ?
   $345 \times 21 = (345 \times 1) + (345 \times 2\underline{0}$ et non $345 \times 2)$.
   Comme on l'a vu à l'activité précédente, on multiplie les nombres entiers par 2, mais on ajoute un 0 parce que le résultat est 10 fois plus grand puisqu'on multiplie par 20.

Vocabulaire à maîtriser : multiplication, produit, symbole ($\times$).

1 Estime d'abord les résultats, puis trouve les réponses exactes.

Estimation   Estimation

a)
$$345 \rightarrow \underline{\hspace{2cm}}$$
$$\times \quad 6 \qquad \times \quad 6$$
_____   _____

b)
$$3\,078 \rightarrow \underline{\hspace{2cm}}$$
$$\times \quad 7 \qquad \times \quad 7$$
_____   _____

c)
$$6\,799 \rightarrow \underline{\hspace{2cm}}$$
$$\times \quad 8 \qquad \times \quad 8$$
_____   _____

d)
$$8\,090 \rightarrow \underline{\hspace{2cm}}$$
$$\times \quad 9 \qquad \times \quad 9$$
_____   _____

e)
$$28 \rightarrow \underline{\hspace{2cm}}$$
$$\times \quad 34 \qquad \times$$

f)
$$398 \rightarrow \underline{\hspace{2cm}}$$
$$\times \quad 78 \qquad \times$$

2 Trouve les nombres qui manquent dans ces équations.

a)
$$\square 4\,8$$
$$\times \qquad \square$$
$$\overline{\quad 3\,2\,\square\,0}$$

b)
$$3\,\square\,1\,\square$$
$$\times \qquad 4$$
$$\overline{\quad 15\,6\,4\,0}$$

c)
$$\square\,0\,1$$
$$\times \quad 2\,\square$$
$$\overline{\quad 1\,5\,0\,5}$$
$$+6\,\square\,2\,0$$
$$\overline{\quad 7\,\square\,2\,5}$$

3 Les réponses de ces multiplications sont fausses. Identifie les erreurs qui ont été commises et corrige les résultats.

a)
$$305$$
$$\times \quad 5$$
$$\overline{\quad 1575}$$

b)
$$38$$
$$\times \quad 26$$
$$\overline{\quad 228}$$
$$+ \quad 76$$
$$\overline{\quad 304}$$

c)
$$7\,648$$
$$\times \quad 3$$
$$\overline{\quad 27\,184}$$

ACTIVITÉ 13

Résoudre des problèmes tirés de la vie réelle et impliquant une ou plusieurs opérations : additions, soustractions et multiplications.

Explication de l'activité

1. **Le sens de la multiplication.**

   La multiplication est une opération qui remplace l'addition répétée d'un même nombre. Il est plus simple en effet d'effectuer 308×26 que d'additionner 26 fois le nombre 308 !

2. Elle sert à trouver le nombre de combinaisons d'éléments simples que l'on peut effectuer.

   Exemple : Si Séréna a 2 pantalons, un bleu et un rouge, et 3 chandails, un vert, un noir et un orange – de combien de façons différentes peut-elle s'habiller ?

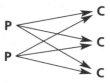

3. Elle permet d'effectuer des échanges.

   Exemple : Un jeu permet de gagner des jetons bleus : 5 jetons bleus permettent d'obtenir un jeton rouge et 3 rouges permettent d'obtenir un vert. Combien de jetons bleus un jeton vert représente-t-il ?

   $1 V = 3 R = 3 \times 5 = 15$ jetons bleus

Conseil pratique

Devant un problème, certains enfants ne pensent qu'à additionner les nombres donnés. Pour contrer cette tendance, votre enfant doit toujours identifier la nature des quantités qu'il additionne. À la question : « Combien paiera-t-on <u>5 bandes dessinées</u> qui coûtent <u>8 $</u> chacune ? », l'enfant comprendra que 5 livres + 8 $ n'a pas de sens. Le sens de la multiplication s'éclaircira s'il dessine 5 livres et que sur chacun, il en indique le prix.

Résous ces problèmes. Explique ta démarche à l'aide d'un dessin et d'une ou de plusieurs opérations.

1 Combien y a-t-il d'œufs dans 6 douzaines?

Démarche:

Réponse: _____

2 Le 1er janvier, Jennifer avait 438 $ dans son compte de banque. Elle a ensuite économisé 15 $ par semaine durant les 8 semaines suivantes. À quel montant s'élevaient alors ses économies?

Démarche:

Réponse: _____

3 Pour que les 120 élèves de 4e année de notre école se rendent au théâtre, il faudra louer deux autobus au coût de 225 $ chacun, et débourser 5 $ pour l'achat du billet d'entrée de chacun des élèves. Quel sera le coût total de cette sortie?

Démarche:

Réponse: _____

4 Lors d'une excursion en plein air, les élèves peuvent composer leur propre repas en choisissant parmi trois sortes de sandwichs (jambon, poulet, fromage) et trois desserts différents (fruits, yogourt, biscuits). Combien de menus différents leur sont-ils ainsi offerts?

Démarche:

Réponse: _____

ACTIVITÉ 14

Développer de la rapidité et de la précision dans le calcul écrit :
• trouver le quotient d'un nombre inférieur à 1 000 par un nombre inférieur à 10 ;
• estimer et vérifier le résultat de divisions.

Explication de l'activité

Votre enfant doit apprendre à estimer le quotient afin de repérer lui-même les erreurs qu'il pourrait commettre, l'erreur la plus fréquente étant d'oublier un zéro au quotient.

Il doit, par exemple, déterminer dès le départ combien il y aura de chiffres à la réponse.

1.
```
  c d u
  4 1 2 | 4
    1    ___ ___
  c   d   u
```
Puisqu'on peut diviser les centaines, il y aura 3 chiffres à la réponse et le quotient se situera entre 100 et 200. Si la réponse obtenue est 13, l'enfant comprendra immédiatement qu'il a commis une erreur.

2.
```
    d u
  2 2 4 | 4
    5   ___
    d   u
```
Puisqu'on ne peut diviser les centaines, on divise d'abord les 22 dizaines et il y aura 2 chiffres à la réponse ; le quotient se situera entre 50 et 60.

Conseil pratique

Au lieu de dire : « Il y a une erreur », demandez : « As-tu vérifié ta réponse ? » En multipliant son résultat par le diviseur, votre enfant trouvera lui-même ses erreurs.

1 Arrondis les dividendes, puis estime mentalement les résultats.

a) 42 ÷ 2 = (_____ ÷ 2) _____

b) 88 ÷ 3 = (_____ ÷ 3) _____

c) 53 ÷ 5 = (_____ ÷ 5) _____

d) 79 ÷ 4 = (_____ ÷ 4) _____

e) 98 ÷ 5 = (_____ ÷ 5) _____

f) 72 ÷ 7 = (_____ ÷ 7) _____

2 Trouve les quotients. Avant d'opérer, détermine le nombre de chiffres que devront contenir les réponses.

a) 9 8 |2

_____

b) 7 2 |3

_____

c) 9 6 |6

_____

d) 3 1 2 |3

_____

e) 7 4 4 |6

_____

f) 8 4 8 |8

_____

g) 7 2 8 |8

_____

h) 4 1 5 |5

_____

i) 6 5 1 |7

_____

ACTIVITÉ 15

Résoudre des problèmes tirés de la vie réelle :
• des problèmes impliquant une division ;
• des problèmes impliquant une ou plusieurs opérations (+, −, ×, ÷).

Explication de l'activité

Pour connaître les situations où il faut diviser, il faut bien connaître les différents sens de cette opération.

Soustraction répétée.

J'ai 48 timbres que je veux coller dans un album. Chaque page peut contenir 8 timbres. Pour savoir combien de pages seront remplies, je peux soustraire 8 autant de fois qu'il est nécessaire.

$48 - 8 = 40$; $40 - 8 = 32$; $32 - 8 = 24$; $24 - 8 = 16$; $16 - 8 = 8$; $8 - 8 = 0$.

J'ai soustrait 6 fois 8, j'ai donc rempli 6 pages ; $48 \div 8 = 6$.

Sens de partage : J'ai 36 objets. Je fais des paquets de 4. **Combien de paquets puis-je former ?** $36 \div 4 = 9$

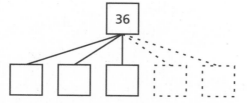

Sens de contenance : J'ai 36 objets que je sépare en 4 paquets égaux. Combien d'objets contiendra chaque paquet ? $36 \div 4 = 9$

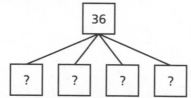

Conseil pratique

Votre enfant ne comprend pas pourquoi il doit effectuer telle ou telle opération pour résoudre un problème ? Faites-lui « vivre » le problème. Utilisez des objets concrets, rattachez le problème aux situations de la vie courante. Avant d'abstraire un concept, il faut en comprendre les applications concrètes.

1 Pour résoudre ces problèmes, quelle opération faut-il effectuer :
une multiplication ou une division ?

a) Mon père fait 20 minutes d'exercice chaque jour. Pour savoir
combien de minutes il consacre chaque semaine à l'exercice,
je fais une *multiplication*

b) Un marchand reçoit une caisse contenant 72 pamplemousses.
Il décide de les vendre par paquets de 3. Pour savoir combien
de paquets il aura à vendre, je fais une *division*.

c) Trois personnes ont acheté ensemble un billet de loterie qui leur
a permis de gagner la somme de 720 $. Pour savoir quel
montant d'argent chaque personne va recevoir, je fais une

_____.

2 Je veux lire un livre qui contient 75 pages. Si je lis 5 pages par jour,
combien de journées me faudra-t-il pour terminer la lecture de ce
livre ?

Démarche : *division*

Réponse : Il me faudra *15* jours.

3 Tommy a reçu une boîte contenant 48 chocolats. Il en garde 12 et
partage les autres entre les 4 membres de sa famille. Combien de
chocolats chaque personne recevra-t-elle ?

Démarche :

Réponse : Chaque personne recevra _____ chocolats.

ACTIVITÉ 16

Rechercher les diviseurs d'un nombre inférieur à 50.

Explication de l'activité

La mémorisation des diviseurs des nombres facilite l'atteinte de plusieurs autres objectifs (tables de multiplication et de division, calcul mental, simplification de fractions, etc.). Cette habileté sera d'une grande utilité tout au long de la poursuite des études en mathématique.

Pour rechercher les diviseurs d'un nombre, votre enfant peut utiliser des blocs qu'il essaiera de partager en paquets égaux.

Exemples : Les diviseurs de 12 :

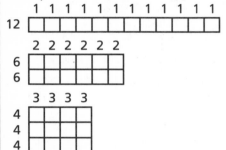

Il peut ainsi trouver les diviseurs des nombres de 2 à 50.

Vocabulaire à maîtriser : diviseur, nombre premier, nombre composé, nombre pair, nombre impair.

1 En recherchant les diviseurs des nombres de 2 à 49, tu trouves 15 nombres premiers. Quels sont-ils ?

___, ___, ___, ___, ___, ___, ___, ___, ___, ___, ___, ___, ___, ___, ___.

2 Dans ce quadrillé, illustre les diviseurs de 24 (autres que 1 et 24).

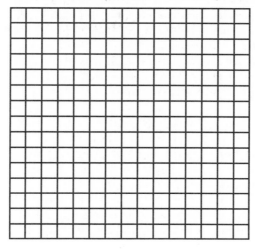

3 Vrai ou faux.

a) 7 est à la fois un diviseur de 21 et de 35. _____

b) 3 est un diviseur de 48. _____

c) 12 est un diviseur de 44. _____

d) Le nombre 36 a 8 diviseurs différents. _____

e) 2, 3 et 6 font partie de l'ensemble des diviseurs de 30. _____

4 Place ces nombres aux bons endroits dans les ensembles ci-dessous.

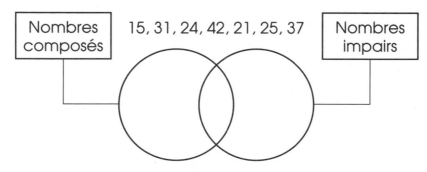

ACTIVITÉ 17

Recherche des « régularités » :
- Dégager la règle qui a permis de construire une suite de nombres et compléter cette suite ;
- Dégager les ressemblances qui existent dans les familles d'opérations.

Explication de l'activité

En mathématique, comme dans tous les domaines d'ailleurs, la reconnaissance de régularités et de similitudes permet de généraliser les connaissances acquises.

- Les suites de nombres

  Sachant que des nombres n'ont pas été choisis au hasard et qu'ils se suivent selon une certaine logique, l'enfant doit suivre toutes les pistes possibles pour dégager la règle. Celle-ci peut être simple ou complexe.

  Exemples :

  a) 124 – 122 – 120 – 118   (règle : – 2)

  b) 8 – 16 – 15 – 30 – 29   (règle : × 2 – 1)

  On peut même identifier « une règle dans la règle » :

  c) 0 – 1 – 3 – 6 – 10 – 15   (règle : + 1, + 2, + 3, + 4, + 5, etc.)

- Les familles d'opérations

  Si l'enfant sait que 7 + 6 = 13, il constate que l'addition de 6 et de 7 unités provoque la formation d'une dizaine accompagnée de 3 unités. L'addition de 26 et 7 provoquera donc également la formation d'une nouvelle dizaine et aura par conséquent pour résultat 33. Les mêmes remarques s'appliquent à la soustraction. Quel excellent moyen d'effectuer son calcul mental !

Vocabulaire à maîtriser : Suite de nombres, règle, régularité, somme, différence, produit.

1 Identifie les règles et complète les suites de nombres suivantes.

a) Règle : _____

195, 190, 192, 187, _____, _____, _____

b) Règle : _____

14, 28, 24, 48, _____, _____, _____

c) Règle : _____

2, 5, 11, 20, _____, _____, _____

2 Combien de carrés seraient nécessaires pour construire la 5ᵉ figure de cette suite ?

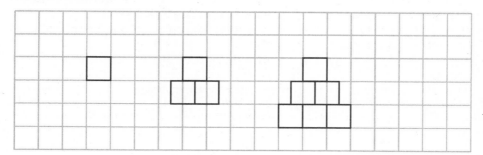

3 Observe les égalités qui te sont données, puis résous le plus rapidement possible les équations qui suivent.

7 + 8 = 15	13 − 8 = 5	8 + 6 = 14	14 − 9 = 5
27 + 8 = _____	33 − 8 = _____	18 + 6 = _____	34 − 9 = _____
47 + 8 = _____	53 − 8 = _____	58 + 6 = _____	64 − 9 = _____
67 + 8 = _____	73 − 8 = _____	38 + 6 = _____	94 − 9 = _____
97 + 8 = _____	103 − 8 = _____	98 + 6 = _____	74 − 9 = _____
117 + 8 = _____	123 − 8 = _____	118 + 6 = _____	104 − 9 = _____

ACTIVITÉ 18

Dégager le sens de la fraction :
• Distinguer dans la fraction le rôle du dénominateur et celui du numérateur.

Explication de l'activité
Votre enfant aborde pour la première fois l'étude des fractions. Il est essentiel qu'il en comprenne bien le sens puisqu'il va continuer d'approfondir cette notion tout au long de ses études.

<u>Pourquoi les fractions ?</u>
Jusqu'à présent, l'enfant s'est familiarisé avec les nombres entiers de 0 à 9 999 ou même 99 999. Parmi tous ces nombres, il n'en existe aucun pour exprimer la situation suivante : Pierre a coupé une pomme en deux et il en a mangé un morceau. La quantité de pomme que Pierre a mangée se situe entre 0 et 1. Ce sont les fractions qui nous permettent d'exprimer les quantités inférieures à l'unité.

<u>Comment écrire les fractions ?</u>
Pour que tous les gens puissent comprendre de la même façon la quantité représentée par une fraction donnée, il faut respecter les trois règles suivantes :
• L'objet (ou l'ensemble d'objets) doit être séparé **en parties égales**.
• On inscrit sous la barre de fraction en combien de parties égales on a divisé le tout : c'est le **dénominateur**.
• Au-dessus de la barre, on inscrit le nombre de parties qui nous intéresse : c'est le **numérateur**.

Vocabulaire à maîtriser : numérateur, dénominateur.

---

1 Sépare ces figures en parties égales, tel que demandé.

a) En 3 parties
   égales

b) En 4 parties
   égales

c) En 6 parties
   égales

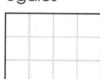  

2 Pour chacune de ces figures, écris le chiffre qui doit figurer au dénominateur. Fais bien attention : on t'a tendu un piège.

a)

b)

c)

d)

3 Cette figure est-elle séparée en parties égales ? _____

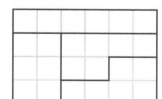

Justifie ta réponse.

_____

_____

_____

ACTIVITÉ 19

Dégager le sens de la fraction :
• lire et écrire une fraction ;
• associer une fraction à une partie d'un objet.

Explication de l'activité

• L'enfant doit être capable d'écrire en chiffres une fraction écrite en lettres. Les cinquièmes, sixièmes, dixièmes, etc. ne posent généralement pas de problème. Certains enfants éprouvent toutefois de la difficulté à retenir les termes demi, tiers et quart. Pour les aider, on peut attirer leur attention sur les similitudes : <u>d</u>emis (= <u>d</u>eux parties égales), <u>t</u>iers (= <u>t</u>rois parties égales), <u>qua</u>rt (= <u>qua</u>tre parties égales). Notez que « demi » est masculin : on dit donc *un* demi.

• Lorsqu'une figure est déjà séparée en parties égales, il est facile de trouver le dénominateur. Mais que faire dans un cas comme celui-ci ?

Il faut séparer soi-même
la figure en parties égales.

Conseil pratique

Dès que votre enfant réalise une activité qui comporte des fractions, habituez-le à adopter la démarche suivante :
• Y a-t-il des parties égales ? S'il n'y en a pas, il n'y a pas de fractions.
• Combien de parties égales ? C'est le dénominateur qui l'indique.
• Sur toutes ces parties, combien m'intéressent ? Je l'écris au numérateur.

1 Karine, Philippe, Louis et Mylène ont chacun 10 problèmes à résoudre. Karine en a résolu le demi, Philippe les deux cinquièmes, Louis, les trois dixièmes et Mylène, le cinquième. Écris ces fractions en chiffres.

Karine	Philippe	Louis	Mylène

2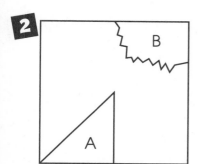

De ce gâteau, tu as mangé le morceau A et ton frère le morceau B. Quelle fraction du gâteau chacun de vous a-t-il mangée ?

Toi : _____

Ton frère : _____

3 Tu manges le demi de cette tablette de chocolat, tu en donnes le quart à ton frère et les deux huitièmes à ta sœur. Colorie ta partie en rouge, celle de ton frère en bleu et celle de ta sœur en jaune.

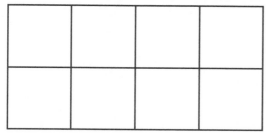

ACTIVITÉ 20

Dégager le sens de la fraction :
• Associer une fraction à une partie d'un ensemble d'objets.

Explication de l'activité

S'il nous arrive souvent de séparer un objet en parties égales (gâteau, tarte, feuille de papier, etc.), il est aussi souvent nécessaire de séparer un **ensemble** d'éléments en parties égales. Considérons les deux cas suivants.

1. Dans un groupe de cinq amis, il y a deux filles.
   Quelle fraction du groupe représentent les garçons ?
   $\underline{3}$ → Le nombre de garçons (5 – 2 = 3)
   5 → Le nombre total d'amis

2. L'infirmière de l'école a examiné la vue de 12 élèves. Elle considère que le quart (1/4) d'entre eux doit porter des lunettes. Combien d'élèves devraient porter des lunettes ?
   Je cherche 1/4 de 12 élèves.
   Le 4 au dénominateur dit que je sépare en 4 parties égales.

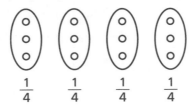

Donc, 1/4 de 12 = 3.

Conseil pratique

Vous avez de multiples occasions d'appliquer cette notion chaque jour : Quelle fraction de votre famille représentent les filles ? Dans cette boîte, quelle fraction des beignes sont au chocolat ? Etc.

1 Voici les membres de mon équipe de soccer. La lettre G représente les garçons, et la lettre F, les filles.

G F G F F G G G

F F G G G G F F

Quelle fraction de l'équipe représentent :

a) les filles ? _____   b) les garçons ? _____

2 Il y a 24 élèves dans notre classe. À la fin de l'année, notre enseignant nous dit que le tiers des élèves n'ont jamais été absents, et que le huitième des élèves ne se sont absentés qu'une journée. Sers-toi de ce dessin pour répondre aux questions ci-dessous.

Démarche :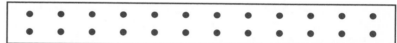

a) Combien d'élèves n'ont aucune absence ? _____

b) Combien d'élèves ne se sont absentés qu'une journée ? _____

3 Catherine et Julien soufflent des ballons pour l'anniversaire de leur petit frère. Catherine a déjà soufflé le cinquième d'un sac de 25 ballons. Julien a soufflé le tiers d'un sac de 12 ballons. Qui en a soufflé le plus ?

Démarche :

Réponse : _____

4 Dans un bouquet, il y a 6 roses et 8 œillets. Quelle fraction du bouquet :

a) représentent les œillets ? _____

b) représentent les roses ? _____

ACTIVITÉ 21

Reconnaître des fractions équivalentes.

Explication de l'activité

Des fractions équivalentes sont des fractions qui représentent une même quantité mais en utilisant des chiffres différents. C'est par différentes manipulations que votre enfant doit d'abord découvrir ces équivalences. Ce n'est que dans une étape ultérieure qu'il pourra conclure qu'on ne change pas la quantité exprimée par une fraction si on multiplie par un même nombre son numérateur et son dénominateur. Pour l'instant, grâce à ses observations, il peut déjà faire des découvertes importantes. Considérons les fractions suivantes :

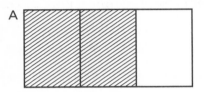　$\dfrac{2}{3}$　　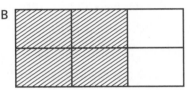　$\dfrac{4}{6}$

Quand le dénominateur est plus grand (6 au lieu de 3), les morceaux sont plus petits. Il est donc normal que pour obtenir dans la figure B une quantité égale à celle de la figure A, il faille prendre plus de morceaux, soit 4 au lieu de 2.

Conseil pratique

Les fractions offrent à votre enfant un nouveau défi. C'est la première fois qu'un grand nombre, par exemple un 8 au dénominateur, représente une quantité plus petite qu'un petit nombre, par exemple un 2 au dénominateur. Aussi, il est particulièrement important que toute difficulté liée aux fractions soit résolue par des manipulations. Des feuilles de papier, des crayons, des ciseaux, il n'en faut pas plus ! Ce que l'enfant pourra voir et expérimenter par lui-même remplacera avantageusement toutes vos explications !

1 Pour faire un bricolage, Mohamed veut utiliser la moitié d'une feuille de papier métallique. Il a le choix entre les trois feuilles illustrées ci-dessous. Pour chaque feuille, colorie les morceaux qu'il peut utiliser et écris la fraction que ces morceaux représentent.

2 Ce schéma représente le trajet d'une course. La flèche indique la position du coureur qui est en tête du peloton.

Départ ├─┼─┼─┼─┼─┼─┼─┼─┼─┼─┼─┤ Arrivée

Quelle fraction du chemin a-t-il parcourue?

Exprime ta réponse:

a) en douzièmes _____

b) en sixièmes _____

c) en tiers _____

3 Lesquelles de ces figures ont la même fraction hachurée?

_____

a)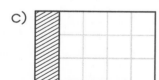

b)

c)

d)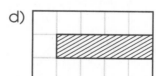

ACTIVITÉ 22

- Comparer des fractions à 0, à 1/2 et à 1.

Explication de l'activité
- Votre enfant sait que le dénominateur de la fraction indique en combien de parties égales une figure ou un ensemble d'objets a été divisé (voir p. 36).
- Il peut donc comprendre que les fractions qui ont le même nombre au numérateur et au dénominateur sont égales à l'unité.

$$\frac{2}{2} = \frac{3}{3} = \frac{4}{4} = \frac{5}{5} = 1$$

- Il est de même facile de reconnaître les fractions égales à 1/2 puisque le numérateur représente la moitié des parts égales indiquées par le dénominateur.

$$\frac{2}{4} = \frac{3}{6} = \frac{4}{8} = \frac{5}{10} = \frac{1}{2}$$

- En appliquant ses connaissances relatives aux rôles respectifs du numérateur et du dénominateur, l'enfant peut évaluer facilement la quantité représentée par certaines fractions. Par exemple,

1) $\frac{5}{8} > \frac{1}{2}$, puisque 4 est la moitié de 8 ;

2) $\frac{7}{8} < 1$, mais $\frac{10}{8} > 1$, puisque $\frac{8}{8} = 1$

Conseil pratique
Habituez votre enfant à utiliser sa logique. Il peut, par exemple, comparer des fractions à la demie même si le dénominateur n'est pas un multiple de 2.
Exemple :
$\frac{2}{3} > \frac{1}{2}$, car si je divise trois en deux parties égales, la réponse est nécessairement inférieure à 2.

1

Bleu	Vert	Rouge	Jaune
Bleu	Vert	Rouge	Rouge
Vert	Vert	Rouge	Rouge

a) Indique quelle fraction de ce tapis occupe chaque couleur.

Bleu : _____   Rouge : _____

Vert : _____   Jaune : _____

b) Laquelle de ces fractions est plus près de la demie ?

_____

2 Des enfants participent à un marathon. Après une heure, Élise a parcouru les 2/3 du parcours, Ari, les 3/8, Heba, le 4/7 et Étienne, les 2/5. Lesquels de ces enfants ont parcouru ;

a) moins de la moitié du parcours ?

_____

b) plus de la moitié du parcours ?

_____

3 À mon anniversaire, nous étions 12 enfants. Maman affirme que les morceaux de gâteau que nous avons mangés totalisent 12/8. Lequel de ces énoncés est vrai ?

a) Nous avons mangé 12 morceaux d'un gâteau.

b) Nous avons mangé plus d'un gâteau.

c) Mon gâteau était séparé en 12 parties égales.

4  Compare ces fractions à l'aide des signes <, > ou = .

a) $\dfrac{7}{8}$ ◯ $\dfrac{4}{4}$

b) $\dfrac{5}{8}$ ◯ $\dfrac{4}{9}$

c) $\dfrac{5}{6}$ ◯ $\dfrac{4}{3}$

d) $\dfrac{6}{6}$ ◯ $\dfrac{10}{10}$

ACTIVITÉ 23

Reconnaître diverses représentations des nombres décimaux.

Explication de l'activité

• Les nombres décimaux constituent une autre façon d'exprimer des fractions. Jusqu'à présent, votre enfant a appris qu'une fraction s'écrit à l'aide d'une barre horizontale qui sépare le numérateur et le dénominateur, chacun de ces deux nombres jouant un rôle très précis.

• Les nombres décimaux expriment les fractions en respectant la logique du système de numération en base 10.

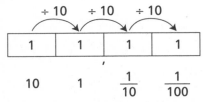

Le rôle du dénominateur est joué par la position que le chiffre occupe après la virgule (dixième ou centième). Le rôle du numérateur est joué par le nombre qui occupe cette position. Exemples : 0,4 = 4/10 ; 0,05 = 5/100 ; 0,35 = 35/100.

Conseil pratique

• L'utilisation la plus courante des nombres décimaux est l'écriture des montants d'argent. Une pièce de 10¢ représente 1/10 de 1$ et s'écrit 0,10$. Une pièce de 1¢ représente 1/100 de 1$, et s'écrit 0,01$.

Ne ratez pas une occasion d'utiliser ce moyen simple et concret.

Vocabulaire à maîtriser

Nombre, décimal, dixième, centième, nombre entier, fraction, valeur de position.

1 Exprime à l'aide d'un nombre décimal la partie ombrée dans chacune de ces figures.

a) 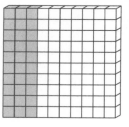 _____

b) 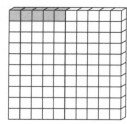 _____

c) 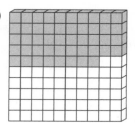 _____

d) 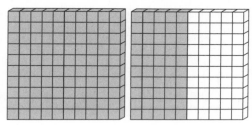 _____

2 Colorie les pièces de monnaie de façon à représenter les montants indiqués.

Rouge → 0,03 $; Bleu → 0,30 $; Vert → 0,45 $

ACTIVITÉ 24

- Lire et écrire des nombres décimaux jusqu'à l'ordre des centièmes.
- Décomposer un nombre décimal

Explication de l'activité
- Cet objectif a été amorcé à la page précédente. Pour le maîtriser, il faut se rappeler que, dans un nombre décimal,
  - a) les chiffres à gauche de la virgule représentent des nombres entiers (unités, dizaines, etc.);
  - b) les chiffres à droite de la virgule représentent une fraction;
  - c) le nom de la fraction dépend de la ou des positions occupées par les nombres.
- Les fractions égales à l'unité, comme 2/2, 3/3 ou 4/4, s'écrivent 1 ou 1,0.

Les fractions supérieures à l'unité s'écrivent à l'aide d'une partie entière, à gauche de la virgule, et d'une partie fractionnaire (à droite de la virgule).

Exemple : $\dfrac{13}{10} = 1\dfrac{3}{10} = 1{,}3$

Le nombre décimal 1,3 contient donc 13 dixièmes.

Activité 24

1 Écris ces expressions sous forme de nombres décimaux.

   a) huit dixièmes : _____

   b) quatre centièmes : _____

   c) un (entier) et sept centièmes : _____

   d) quatre (entiers) et dix-huit centièmes : _____

   e) quinze (entiers) et neuf dixièmes : _____

2 Décompose les nombres suivants de trois façons différentes, en t'inspirant de l'exemple.

   Exemple : 12,05 = 1 dizaine, 2 unités et 5 centièmes

   12,05 = 12 unités et 5 centièmes

   12,05 = 120 dixièmes et 5 centièmes

   12,05 = 1205 centièmes

   a) 5,10 = _____

   _____

   _____

   b) 8,03 = _____

   _____

   _____

   c) 13,50 = _____

   _____

   _____

3 Écris les nombres représentés par les décompositions suivantes.

   N'oublie pas que $\dfrac{10}{100} = \dfrac{1}{10}$ et que $\dfrac{10}{10} = 1$

   a) $\dfrac{3}{10} + 5 + \dfrac{5}{100} =$ _____   b) $\dfrac{30}{10} + \dfrac{10}{100} =$ _____

   c) $\dfrac{10}{10} + 1 + \dfrac{6}{100} =$ _____   d) $1 + \dfrac{10}{100} + \dfrac{10}{10} =$ _____

   e) $\dfrac{10}{10} + \dfrac{100}{100} =$ _____   f) $3 + \dfrac{15}{10} + \dfrac{3}{100} =$ _____

ACTIVITÉ 25

- Comparer et ordonner des nombres décimaux.
- Additionner et soustraire mentalement des nombres décimaux.

Explication de l'activité

- Pour comparer des nombres décimaux, il faut d'abord comparer les chiffes qu'ils présentent à la plus grande position.
  Exemples : $\underline{2}5,8 > \underline{1}8,9$; $0,\underline{2}3 < 0,\underline{3}2$

- Pour éviter les erreurs, il faut parfois concrétiser par un 0 une position qui est occupée dans un nombre mais pas dans l'autre.
  Exemples : $13,5 > \underline{0}8,9$; $0,5\underline{0} < 0,89$

- Pour effectuer mentalement des opérations sur les nombres décimaux, il faut se rappeler que $\frac{10}{10}$ ou $\frac{100}{100}$ égalent 1.

  Donc, $1 - 0,3 = \frac{10}{10} - \frac{3}{10} = \frac{7}{10} = 0,7$

  $0,7 + 0,8 = \frac{15}{10} = 1\frac{5}{10} = 1,5$

1 Compare les nombres suivants à l'aide des signes <, > ou =.

a) 0,15 ◯ 1,5

b) 2,25 ◯ 2,52

c) 0,7 ◯ 0,07

d) 9,01 ◯ 13,89

e) 3,8 ◯ 8,3

f) 4,08 ◯ 4,15

2 Récris les nombres suivants en les plaçant en ordre croissant.

1,12 – 0,21 – 1,21 – 0,12 – 11,2

_____

3 Calcule mentalement et entoure le résultat de chacune des équations suivantes.

a) 0,5 + 0,7   12   0,12   1,2

b) 1,0 – 0,4   0,06   0,6   6,0

c) 0,9 – 0,01   8,9   0,89   89

d) 0,4 + 0,6   10   0,10   1,0

e) 1,2 – 0,5   7   0,7   0,07

4 Voici les résultats obtenus par les trois premiers athlètes d'une course.

Philippe 3,15 min   Charles 3,05 min   Luc 3,1 min

a) Place ces trois coureurs en ordre d'arrivée.
   (N'oublie pas que le vainqueur est le plus rapide)

_____

b) Quelle fraction de minute sépare la performance du troisième athlète de celle du premier ?

_____

ACTIVITÉ 26
Additionner et soustraire des nombres décimaux.

Explication de l'activité

- L'addition et la soustraction de nombres décimaux ne diffère guère des mêmes opérations sur les nombres entiers : dans les deux cas, il faut s'assurer qu'on additionne ou soustrait des nombres occupant une même position. Dans le cas des nombres décimaux, il suffit d'aligner d'abord les virgules, puis de répartir correctement les chiffres de part et d'autre de celles-ci. Il est très utile de compléter par des 0 les positions qui ne sont pas occupées.

  Exemples :

  a) 115,84 + 10,2   b) 30,2 – 5,35

$$\begin{array}{r} 115,84 \\ +\ 10,20 \\ \hline \end{array} \qquad \begin{array}{r} 30,20 \\ -\ 5,35 \\ \hline \end{array}$$

- Prendre l'habitude d'estimer le résultat d'une opération évite bien des erreurs. On estime la réponse en arrondissant la partie entière.

  Exemples :

  115,84 + 10,2 est remplacé par 116 + 10 = 126 ;

  30,2 – 5,35 est remplacé par 30 – 5 = 25.

1 Après avoir estimé le résultat de chaque équation, entoure les réponses qui te semblent les plus vraisemblables.

a) 15 − 1,75   1,25   14,75   13,25

b) 38,6 + 2,7   40,3   4,13   41,3

c) 12,75 − 11,95   2,2   0,8   2,15

d) 6,8 + 13,2   19   20   21

2 Jeffrey s'exerce à la course. La dernière fois, il a parcouru son trajet en une minute. Son objectif est de couvrir la même distance en 0,85 minute. Quelle fraction de minute le sépare de son objectif?

Démarche : _____

Réponse : _____

3 Mylène paie ses achats avec un billet de 10 $. Elle a acheté des crayons qui coûtent 99 ¢ et un cahier qui coûte 2,45 $. Combien la caissière doit-elle lui remettre?

Démarche : _____

Réponse : _____

4 Trouve les erreurs et corrige-les.

a)   100
   −   7, 25
   ‾‾‾‾‾‾‾‾‾‾‾
        93, 25

b)   98, 01
   −   18, 25
   ‾‾‾‾‾‾‾‾‾‾‾
        80, 24

ACTIVITÉ 27

Se repérer dans un plan cartésien.

Explication de l'activité

- Le plan cartésien est un outil avec lequel votre enfant travaillera jusqu'à la fin du secondaire. Il est donc utile qu'il s'y initie dès maintenant.
- Un plan cartésien est composé de deux axes gradués, un vertical et un horizontal, qui délimitent un espace divisé en carrés de même grandeur.

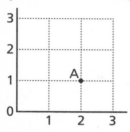

La graduation des axes permet de préciser la position d'un point placé dans l'espace qu'ils délimitent.

- Par convention, on exprime la position d'un point par un couple de nombres dont le premier est situé sur l'axe horizontal et le second sur l'axe vertical. Ainsi, dans le plan ci-dessus, le point est représenté par le couple (2,1)

Conseil pratique

D'autres systèmes analogues sont utilisés sur les cartes géographiques ou dans l'annuaire des rues d'une ville pour nous aider à repérer une agglomération, un cours d'eau, une rue, etc. Apprenez à votre enfant comment utiliser ces outils de repérage.

1 Écris les coordonnées des points qui composent ce dessin.

A: _____   G: _____

B: _____   H: _____

C: _____   I: _____

D: _____   J: _____

E: _____   K: _____

F: _____   L: _____

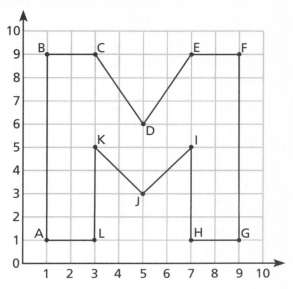

2 a) Dessine des points aux coordonnées suivantes et relie-les entre eux.

$(4,1) \Rightarrow (4,3) \Rightarrow (2,3) \Rightarrow$
$(1,5) \Rightarrow (1,7) \Rightarrow (2,9) \Rightarrow$
$(4,9) \Rightarrow (5,7) \Rightarrow (6,6) \Rightarrow$
$(7,6) \Rightarrow (8,5) \Rightarrow (8,7) \Rightarrow$
$(9,8) \Rightarrow (10,7) \Rightarrow (10,5) \Rightarrow$
$(9,6) \Rightarrow (9,4) \Rightarrow (7,3) \Rightarrow$
$(5,3) \Rightarrow (5,2) \Rightarrow (6,1) \Rightarrow$
$(4,1)$

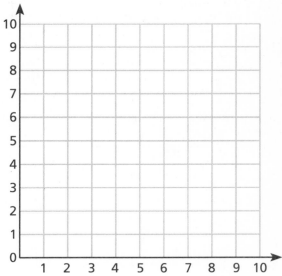

b) À quoi cette silhouette te fait-elle penser?

_____

ACTIVITÉ 28

- Décrire des solides géométriques.
- Nommer ces solides.

Explication de l'activité
Un petit rappel !
Certains solides, comme la sphère, le cône et le cylindre, ont des faces courbes et on les appelle des **corps ronds**.
Les autres, ceux qui ne sont constitués que de surfaces planes, s'appellent des **polyèdres**. Ce sont ceux-là qu'il nous faut décrire. Lorsqu'on considère un polyèdre, on peut en décrire
- **les faces :** leur forme, leur nombre, leur position ;
- le nombre d'**arêtes :** c'est-à-dire les lignes formées par la rencontre de deux faces ;
- le nombre de **sommets :** c'est-à-dire les points de rencontre de plusieurs arêtes.

Deux sortes de polyèdres
- Les **prismes :** Ils se composent de deux figures pareilles posées face à face et reliées par des rectangles (sauf dans le cube, où les rectangles sont remplacés par des carrés). Ces deux figures constituent la base du prisme :

Prisme à base rectangulaire

- Les **pyramides :** Elles se composent d'une base (constituée d'une seule figure) et de triangles qui permettent de fermer le solide au côté opposé.

Pyramide à base carrée

Vocabulaire à maîtriser : polyèdres et corps ronds, sphère, face, sommet, arête, prisme, cône, pyramide, cylindre,

1

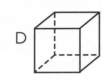

A

B

C

D

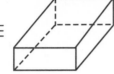

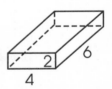

E

F

G

Quels solides correspondent aux descriptions suivantes?

a) J'ai 9 arêtes. _____

b) Nous avons 6 faces, 8 sommets et 12 arêtes. _____

c) Je ne suis pas un polyèdre. _____

d) J'ai 5 sommets et 8 arêtes. _____

e) Mes 6 faces sont identiques. _____

f) Je n'ai que 4 faces. _____

2 Dans la grille ci-dessous, dessine les faces de ce solide en respectant les dimensions données.

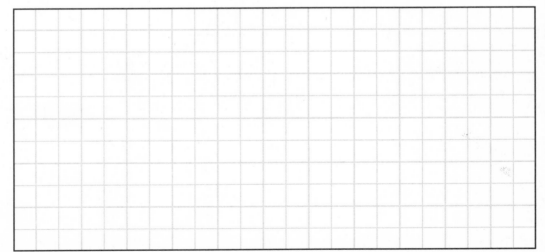

ACTIVITÉ 29
Classifier les solides.

Explication de l'activité

La classification est un bon exercice de logique. Elle permet à l'enfant de réaliser une synthèse de ses connaissances.

On classifie fréquemment les solides à l'aide des deux diagrammes suivants :

a) **Le diagramme de Venn-Euler :**

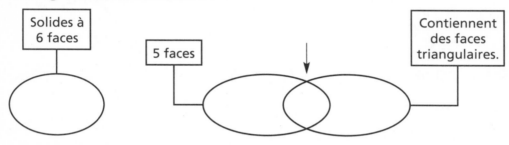

L'intersection marquée d'une flèche permet de loger les solides possédant les caractéristiques des deux ensembles.

b) **Le diagramme de Carroll :**

	Contiennent un ou des carrés.	Ne contiennent pas de carrés.
Ont 5 faces.		
N'ont pas 5 faces.		

Conseil pratique

Une grande quantité d'objets que nous utilisons chaque jour ont la forme de solides géométriques. Proposez à votre enfant d'en trouver le plus grand nombre possible et de proposer ses propres critères de classification.

Classifie les solides qui suivent dans les diagrammes ci-dessous.

A   B   C   D   E 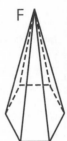   F

G   H   I

1

	Contiennent des faces rectangulaires.	Ne contiennent pas de faces rectangulaires.
Ont 6 faces.		
N'ont pas 6 faces.		

2

Contiennent au moins 1 ⬚.

Contiennent des faces △.

ACTIVITÉ 30

Trouver un ou plusieurs arrangements de figures planes permettant de construire un solide.

Explication de l'activité

La maîtrise de cet objectif exige de l'enfant qu'il puisse visualiser ce qui arriverait s'il essayait de replier les faces planes qui sont dessinées sur une feuille de papier. Pour certains enfants, cet exercice est très difficile.

Pour réaliser l'exercice de la page suivante, nous vous suggérons fortement de découper six carrés, de laisser votre enfant les assembler tel que proposé et de tenter de reconstruire le cube. Il comprendra mieux de cette façon pourquoi certains arrangements rendent la reconstitution impossible.

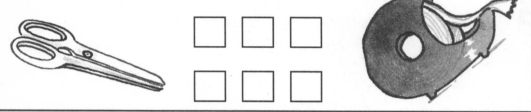

Conseil pratique

Cet exercice a amusé votre enfant ? Reprenez-le en dessinant cette fois les faces d'un prisme. Inspirez-vous de différents prismes illustrés dans les pages précédentes.

1 Fais un ✘ sur les arrangements qui te permettent de construire un cube.

a)  b) 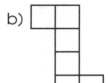 c)

d) e)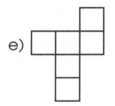

2 Trouve un autre arrangement, différent de ceux illustrés ci-dessus, qui te permettrait lui aussi de bâtir un cube. Dessine cet arrangement dans la grille qui suit.

3 Maintenant que tu as bien pratiqué avec le cube, vois si tu peux reconnaître l'arrangement qui te permettrait de construire un prisme à base carrée. Entoure-le.

a) b)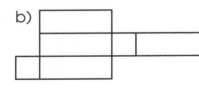

c)

ACTIVITÉ 31

- Reconnaître et comparer des angles droits, aigus et obtus.
- Identifier et construire des lignes parallèles et des lignes perpendiculaires.

Explication de l'activité

Nous sommes entourés de lignes et d'angles.

- L'angle droit est facile à repérer. En cas de doute, l'enfant peut utiliser le coin de sa règle ou le coin d'une feuille de papier : si les deux côtés de l'angle coïncident avec les deux côtés de la règle, c'est un angle droit ; si un des côtés de l'angle s'écarte de la règle, c'est un angle obtus ; si au contraire, un côté de l'angle disparaît sous la règle, c'est un angle aigu.
- Deux droites sont parallèles si la distance qui les sépare est constante ; elles ne se rencontreront jamais.
- Deux droites sont perpendiculaires si elles se rencontrent en formant des angles droits.

Lorsque l'enfant doit tracer lui-même des droites parallèles ou perpendiculaires, il doit le faire avec le plus de précision possible, en utilisant les outils appropriés : une règle pour mesurer l'espace entre les deux parallèles, une équerre ou le coin d'une règle pour s'assurer que la droite qu'il trace forme un angle droit avec la première.

- Avec votre enfant, trouvez dans votre environnement immédiat des exemples de droites parallèles et de droites perpendiculaires. Vérifiez-en l'utilité :
- Est-il utile que les lignes du plafond soient parallèles à celles du plancher ?
- Les pattes de votre table sont-elles perpendiculaires au dessus de la table ?
- Etc.

Qu'arriverait-il si la réponse aux questions précédentes était «Non»?

Vocabulaire à maîtriser : angle (symbole : $\angle$), angle droit (symbole : $\llcorner$), droites parallèles (symbole : $\parallel$), droites perpendiculaires (symbole : $\perp$).

1 Chacune de ces figures comporte plusieurs angles. Dessine un point rouge à l'intérieur de chaque angle droit.

Colorie en jaune les angles qui sont plus petits qu'un angle droit et en vert ceux qui sont plus grands.

a)  b) 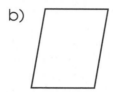 c)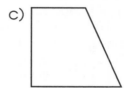

d) 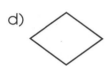 e) 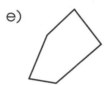 f)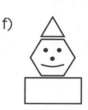

2 Observe les figures de l'exercice précédent et dis si chacune des affirmations suivantes est vraie ou fausse.

	Vraie	Fausse
a) La figure **b** est composée de deux paires de droites parallèles	_____	_____
b) La figure **c** contient trois angles droits	_____	_____
c) La figure **d** ne contient aucune ligne perpendiculaire	_____	_____
d) La figure **e** contient des lignes perpendiculaires	_____	_____

3 Trace avec précision les lignes parallèles et perpendiculaires qui manquent pour obtenir

a) un carré b) un rectangle

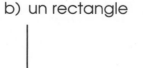

ACTIVITÉ 32

Nommer, identifier et décrire :
* des polygones ;
* des triangles ;
* des quadrilatères : trapèze, parallélogramme, rectangle, losange, carré.

Explication de l'activité

Comme c'est souvent le cas en mathématique, il y a ici de nombreux termes de vocabulaire à maîtriser. Peut-être avez-vous besoin de vous rafraîchir la mémoire ? Voici un résumé des principales notions que votre enfant doit acquérir.

* Pour être appelée **polygone,** une figure doit remplir deux conditions : être fermée et n'être composée que de lignes droites. En conséquence,

sont des polygones.

et

ne sont pas des polygones.

* Les polygones portent des noms différents selon le nombre de côtés (et d'angles) qui les composent :

3 côtés → les triangles   5 côtés → les pentagones
4 côtés → les quadrilatères   6 côtés → les hexagones

* Les quadrilatères
Ils changent de nom selon leurs caractéristiques.

a) Aucune particularité   Quadrilatère quelconque

b) Une paire de droites parallèles   Trapèze

c) Deux paires de droites parallèles   Parallélogramme

d) Idem + 4 angles droits   Rectangle

e) Idem + 4 côtés égaux   Carré

f) Idem, sans angles droits   Losange

Vocabulaire à maîtriser :

Polygone, triangle, quadrilatère, trapèze, parallélogramme, rectangle, carré, losange, pentagone, hexagone, octogone.
Dans chacune de ces catégories, l'enfant apprendra plus tard à distinguer de nouvelles caractéristiques.

1 Mélanie et Justin sont des jumeaux. Chacun a reçu une carte d'anniversaire. Décris ces cartes selon les critères indiqués.

	Mélanie	Justin

Joyeux anniversaire Mélanie !

a) Nombre de côtés : _____ _____

b) Nombre de côtés parallèles : _____ _____

c) Nombre d'angles droits : _____ _____

d) Nombre d'angles aigus
(plus petits qu'un angle droit) : _____ _____

Bon anniversaire Justin !

e) Nombre d'angles obtus
(plus grands qu'un angle droit) : _____ _____

A   B   C   D   E

2 Steven fait une collection de macarons. Il t'en décrit quelques-uns. En lisant chaque description qu'il te fait, identifie de quel macaron il s'agit.

a) Un des macarons n'a pas la forme d'un polygone. _____

b) Mon frère m'a donné un macaron qui a des
angles aigus et des angles obtus. _____

c) Mon macaron préféré est celui qui n'a que
des angles obtus. _____

d) Le dernier macaron que j'ai ajouté à ma
collection a un seul angle droit. _____

e) Le premier macaron que j'ai reçu est celui
qui a 4 angles droits. _____

3 Dessine pour Steven un macaron
qui aura les caractéristiques
suivantes : 4 côtés, 2 angles droits,
2 côtés parallèles et 1 angle aigu.

ACTIVITÉ 33

Classifier des figures à deux dimensions selon les critères suivants :
- polygones et non polygones ;
- convexes et non convexes ;
- nombre de côtés qu'elles possèdent.

Explication de l'activité

Ajoutons de nouvelles définitions et de nouveaux termes à ceux que nous connaissons déjà.
- Lorsqu'on observe certains polygones, on s'aperçoit que certains possèdent deux ou plusieurs côtés de même longueur : ce sont des côtés **congruents**.
- D'autre part, observons les deux figures suivantes et relions entre eux les sommets qui ne sont pas consécutifs.

 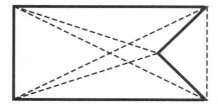

Dans le premier cas, toutes les lignes que nous avons tracées passent à l'intérieur de la figure : on dit que c'est un polygone **convexe.** Dans le deuxième cas, une des lignes que nous avons tracées passe à l'extérieur de la figure : ce polygone est **non convexe** (ou concave).

Vocabulaire à maîtriser : congruence (côtés et angles congruents), convexe et non convexe.

1 Regarde les beaux boutons ! Ils ont les formes les plus diverses. Classe-les dans le tableau suivant.

A B C

D E

F G

	A au moins 2 côtés congrus.	N'a pas de côtés congrus.
Non quadrilatère		
Quadrilatère		

2 Dans un magasin, on vend des miroirs aux formes les plus diverses pour répondre aux besoins de tous les clients et clientes. Quelques-uns de ces miroirs sont illustrés dans ces deux ensembles.

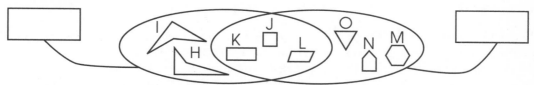

Sur chaque étiquette, écris une caractéristique qui convient à tous les éléments de l'ensemble.

3 Parmi toutes les formes illustrées aux numéros 1 et 2, identifie celles qui possèdent toutes les caractéristiques énumérées :

a) Ce sont des polygones convexes possédant au moins deux côtés parallèles et aucun angle droit : _____

b) Ce sont des polygones dont tous les côtés sont congruents : _____

c) Ce sont des polygones possédant au moins deux côtés congruents et au moins un angle droit : _____

ACTIVITÉ 34

Effectuer des transformations géométriques : la symétrie.
• Identifier et construire des axes de symétrie dans une figure ou entre deux figures ;
• Tracer l'image d'une figure obtenue par symétrie.

Explication de l'activité

Nous abordons le chapitre de la géométrie qui touche les transformations. Il en existe plusieurs mais, en 4ᵉ année, votre enfant doit se familiariser avec la symétrie et la translation.

La **symétrie** peut être considérée selon deux points de vue.

1. Vérifier s'il existe, à l'intérieur de la figure, un axe qui la sépare en deux parties qui se recouvrent parfaitement lorsqu'on replie la figure le long de cet axe. C'est la symétrie axiale. Attention, il y a parfois plus d'un axe de symétrie dans la même figure.

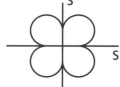

2. Déplacer une figure par un retournement par rapport à un axe. On obtient ainsi une image de la figure initiale. C'est la symétrie par réflexion.

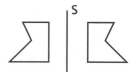

Afin d'éviter les erreurs et de réaliser un travail de précision, l'enfant doit :
• utiliser les points de repère mis à sa disposition (le quadrillage, par exemple) ;
• se rappeler que, pour qu'il y ait retournement de la figure, il doit travailler par rapport à l'axe : toute ligne de la figure initiale qui s'éloigne de l'axe (donc qui se dirige vers la <u>gauche</u>) s'éloignera aussi de l'axe dans la réalisation de l'image et, par conséquent, se dirigera vers la <u>droite</u>.

Vocabulaire à maîtriser : axe de symétrie, axe de réflexion, figure initiale, image.

1 Parmi les lettres de l'alphabet illustrées ci-dessous, lesquelles

    a) possèdent 1 axe de symétrie ? _____

    b) possèdent 2 axes de symétrie ? _____

    c) ne possèdent aucun axe de symétrie ? _____

A	B	C	F	G	D
O	J	H	P	X	I

2 Complète ce dessin pour qu'il soit symétrique.

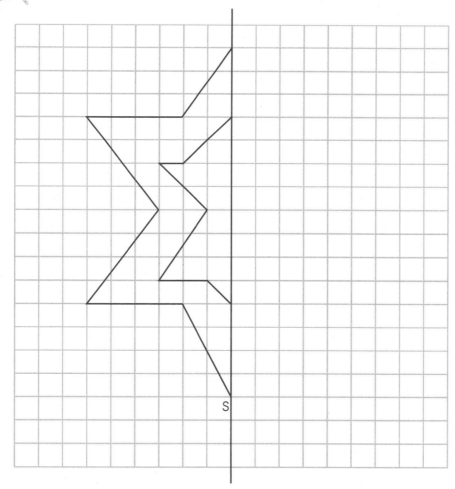

ACTIVITÉ 35
Produire des frises et des dallages par réflexion.
Explication de l'activité Une frise est une bande créée par la répétition d'un même motif. Si la frise est répétée plusieurs fois de façon à couvrir une grande surface, il s'agit d'un dallage. La symétrie est l'un des procédés qui permet de reproduire une figure afin de créer une frise ou un dallage.
Conseil pratique Nous sommes entourés de frises et de dallages : papier peint, tissus, recouvrements de sol, etc. Amusez-vous à découvrir avec votre enfant les motifs qui, dans chaque cas, ont été répétés.
Vocabulaire à maîtriser : frise, dallage.

1 Crée une frise en reproduisant ces poussins par réflexion.

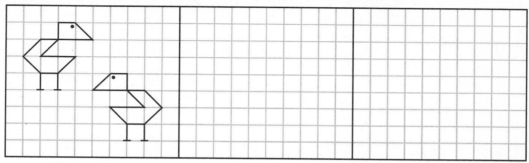

2 Trace trois images de ce voilier par réflexion, en utilisant chacun des axes de symétrie dessinés. Tu obtiendra ainsi le début d'un dallage.

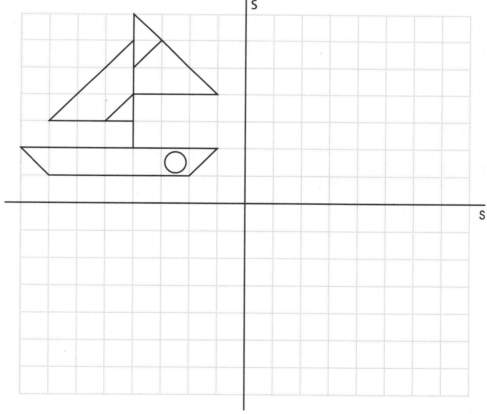

ACTIVITÉ 36

Estimer et mesurer les dimensions des objets :
- estimer et mesurer des objets en millimètres ;
- choisir l'unité la plus appropriée (mètre, centimètre, millimètre) pour mesurer un objet ;
- noter correctement les résultats d'une mesure en utilisant les symboles « mm », « cm » et « m ».

Explication de l'activité

Votre enfant s'est déjà familiarisé avec le mètre (1re année), le décimètre (2e année) et le centimètre (3e année). Il aborde maintenant une unité de mesure beaucoup plus petite : le millimètre.

Vérifiez s'il a une idée assez précise des longueurs représentées par le mètre, le décimètre et le centimètre.
- A-t-il un point de repère sur son propre corps qui lui permettrait de se rappeler la longueur approximative de chacune de ces unités ?
- Y a-t-il dans la maison des objets familiers dont la longueur se rapproche d'un mètre, d'un décimètre, d'un centimètre ?

Aidez sa mémoire en lui montrant les similitudes entre les préfixes et leur signification :
- **Centi**mètre : Le mètre est séparé en **cent** parties égales.
- **Déci**mètre : Le mètre est séparé en **dix** parties égales.
- **Milli**mètre : Le mètre est séparé en **mille** parties égales.

Avant toute activité de mesure, habituez votre enfant à estimer le résultat. Comme personne ne se promène avec un ruban à mesurer dans ses poches, cette habileté peut s'avérer très utile dans plusieurs situations de la vie courante.

Vocabulaire à maîtriser : mètre (symbole : m), centimètre (symbole : cm), décimètre (symbole : dm), millimètre (symbole : mm).

1 D'après toi, quelle est la longueur de ce crayon en millimètres?

Écris ton estimation puis vérifie-la à l'aide d'une règle.

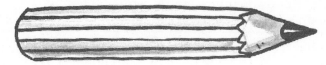

Estimation : _____   Vérification : _____

2 Jérémie a effectué des mesures mais, dans chaque cas, il a oublié d'indiquer l'unité de mesure employée.

Complète son travail en ajoutant m, dm, cm ou mm après chaque résultat.

a) «Ma chambre mesure 4 _____ de longueur. »

b) «Mon chien mesure 7 _____ de hauteur. »

c) «Mon crayon mesure 112 _____ . »

d) «Ma sœur met dans ses cheveux des rubans qui mesurent chacun 20 _____ de longueur. »

e) «La queue de mon chat mesure 25 _____ de longueur. »

3 Encercle l'objet qui, dans la réalité, peut mesurer 50 mm.

a)   b)   c)

4 Laquelle de ces trois lignes mesure 35 mm?

Fais ton choix puis vérifie avec ta règle.

A _____

B _____

C _____

Ton estimation : _____   Vérification : _____

ACTIVITÉ 37

Établir les relations existant entre les unités de longueur SI :
- établir les relations existant entre mètre, centimètre et décimètre ;
- établir la relation entre millimètre et centimètre.

Explication de l'activité

Convertir le résultat d'une activité de mesure en unités plus petites ou plus grandes constitue pour certains enfants une opération très difficile parce que très abstraite.

Pour prévenir les difficultés,

- assurez-vous qu'il a une idée approximative de la longueur de chaque unité de mesure en lui demandant souvent de vous les représenter avec ses doigts, ses mains ou ses bras ;
- devant chaque transformation à effectuer, demandez-lui si le nombre que l'on cherche est plus grand ou plus petit que celui qu'on possède déjà : changer 30 mm en cm, c'est transformer de petites unités de mesure en unités plus grandes, il y en aura forcément moins, et vice versa ;
- habituez-le à utiliser un tableau de conversion (voir ci-dessous) qui lui permettra d'être toujours certain ou certaine de ses réponses.

Faites ressortir les similitudes qui existent entre les unités de mesure et la numération en base dix : dès qu'on a 10 unités d'une sorte, on obtient une unité immédiatement supérieure.

Exemples :

1. 3 dm = ? mm

m	dm	cm	mm
	3	0	0

2. 500 mm = ? cm

m	dm	cm	mm
	5	0	0

Conseil pratique

Les enfants sont toujours intéressés par la vitesse de leur croissance. Votre enfant connaît-il sa taille et celle des membres de la famille ? Peut-il l'exprimer en décimètres, en centimètres et en millimètres ?

1 Jules dit que sa sœur mesure 1 mètre et 5 décimètres. Exprime cette mesure :

a) en décimètres _____   b) en centimètres _____

2 Pour fabriquer une jupe à ma sœur, ma mère a besoin de 2 mètres et 20 centimètres de tissu. Le vendeur lui dit qu'il reste 20 décimètres du tissu qu'elle a choisi. Y en a-t-il assez ?

Démarche :

Réponse : _____

3 La petite Amal a un train électrique. Il se compose de 10 wagons qui mesurent 15 cm chacun. Quelle est la longueur totale du train ?

Démarche :

Exprime la réponse en centimètres : _____ et en décimètres : _____

4 Opère les transformations demandées. Au besoin, utilise un tableau de conversion (tel qu'illustré à la page 74).

a) 8 m = _____ dm   b) 300 mm = _____ cm

c) 100 dm = _____ m   d) 14 dm = _____ cm

e) 840 cm = _____ dm   f) 700 cm = _____ m

5 Place ces mesures en ordre croissant de grandeur : 25 dm, 2 m, 150 mm, 170 cm, 1 m et 4 dm.

_____

ACTIVITÉ 38

- Calculer le périmètre d'un polygone.
- Élaborer et appliquer une démarche permettant de résoudre des problèmes relatifs au périmètre.

Explication de l'activité

Le périmètre est une notion assez facile à comprendre. Mais c'est tout de même un terme nouveau que l'enfant doit ajouter à son vocabulaire mathématique déjà étendu, et une notion qu'il devra bientôt différencier de la surface et du volume.

Aussi, il est très important qu'il prenne conscience des nombreuses applications concrètes qu'on peut en faire :

- mesurer la clôture qui entoure une cour ;
- mesurer la dentelle qu'on veut poser autour d'une nappe ;
- mesurer de quelle longueur sera la plinthe que l'on veut poser au bas de chaque mur d'une pièce ;
- etc.

Toutes ces applications pratiques vont lui permettre d'associer le périmètre au **contour** d'un objet ou d'un polygone, et l'aider à comprendre qu'on l'obtient **en additionnant** tous les côtés du polygone concerné.

L'enfant peut être confronté à un polygone irrégulier (dont les côtés et les angles ne sont pas congruents ou égaux) sur lequel les mesures des différents côtés ne sont pas toutes indiquées.

À ce moment, un peu de stratégie s'impose. On peut toujours trouver la dimension d'un côté en le comparant à la mesure du côté opposé, comme dans l'exemple ci-dessous.

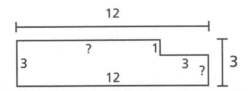

Vocabulaire à maîtriser : périmètre.

1 Quelle figure a le plus grand périmètre : un carré qui mesure 8 cm de côté ou un rectangle qui mesure 9 cm de longueur sur 7 cm de largeur ?

Démarche :

Réponse : _____

2 Quel est le périmètre de la cour dont on te donne ici le plan ?

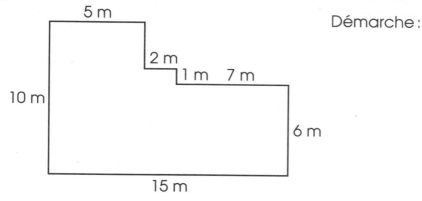

Démarche :

Réponse : _____

3 On veut encadrer une peinture qui mesure 75 cm sur 175 cm. L'encadrement coûte 15 $ le mètre. Quel montant faudra-t-il débourser ?

Démarche :

Réponse : _____

ACTIVITÉ 39

• Estimer et mesurer des surfaces à l'aide d'unités non conventionnelles.

Explication de l'activité

Le périmètre, que l'enfant a appris à calculer à la page 76, est une **longueur**. On peut le calculer avec une règle. Mais il est impossible d'utiliser le même instrument pour calculer, par exemple, la quantité de tapis requise pour couvrir le plancher du salon. Puisque le tapis couvre une aire ou une surface, on ne peut le mesurer qu'à l'aide d'une autre **surface.**

Au troisième cycle du primaire, votre enfant apprendra à utiliser les unités conventionnelles, soit le m^2, le dm^2, le cm^2 et le mm^2. Pour l'instant, il importe surtout qu'il comprenne que mesurer une aire, c'est la comparer à une autre. Cette dernière, qui est l'élément de comparaison, devient l'unité de mesure. On peut, pour ce faire, utiliser n'importe quel polygone : carré, triangle, rectangle, etc.

Vocabulaire à maîtriser : aire, surface, superficie, unité de mesure.

1 Voici le plan du plancher d'un hall d'entrée qu'on veut recouvrir de tuiles.

On peut choisir parmi les modèles suivants

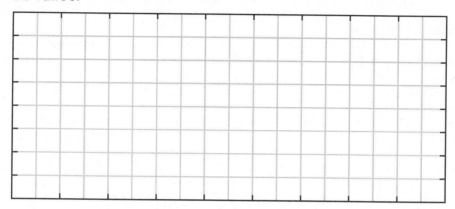

a) Parmi ces modèles, lesquels permettent de recouvrir exactement le plancher ? _____

b) Combien de tuiles de chaque sorte faut-il acheter pour recouvrir complètement le plancher de ce hall d'entrée ?

Modèle A : _____

Modèle B : _____

Modèle C : _____

ACTIVITÉ 40

Estimer et mesurer des volumes à l'aide d'unités non conventionnelles.

Explication de l'activité
- On a déjà vu qu'on mesure un périmètre à l'aide d'une unité de longueur, et une aire, à l'aide d'une autre aire qui devient l'unité de mesure. De même, on mesure un volume, soit un espace à trois dimensions, en le comparant à un autre volume qui devient l'élément de comparaison, donc l'unité de mesure. On peut, pour ce faire, utiliser n'importe quel polyèdre : cube, prismes, etc.
- Dans le calcul du volume, il y a une démarche importante à respecter. Imaginons une boîte.
  1) Il faut d'abord calculer combien de petits volumes (donc d'unités de mesure) sont nécessaires pour couvrir le fond de la boîte. Cette démarche est la même que celle utilisée pour calculer l'aire.
  2) Il faut ensuite considérer combien « d'étages » sem- 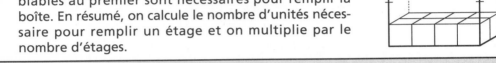 blables au premier sont nécessaires pour remplir la boîte. En résumé, on calcule le nombre d'unités néces- saire pour remplir un étage et on multiplie par le nombre d'étages.

Conseil pratique
Il n'est pas facile pour certains enfants de visualiser des volumes à l'aide d'illustrations à deux dimensions. Utilisez de vraies boîtes de pièces de jeu de construction : la manipulation vaut mieux que toutes les savantes explications.
Vocabulaire à maîtriser : volume, unité de mesure.

1 La compagnie Lève-Tôt fabrique des réveille-matin qui, une fois emballés, ont les dimensions suivantes ;

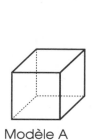

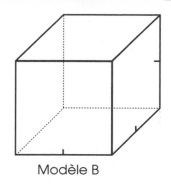

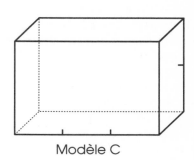

Modèle A   Modèle B   Modèle C

Combien de modèles de chaque sorte cette boîte peut-elle contenir ?

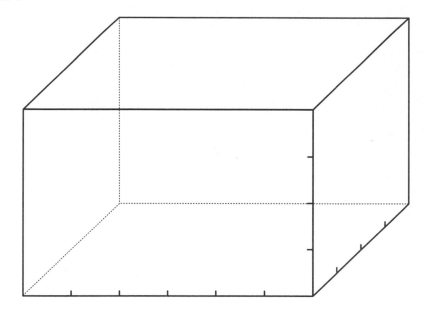

Modèle A : _____

Modèle B : _____

Modèle C : _____

ACTIVITÉ 41

Mesurer le temps (la durée) à l'aide d'unités conventionnelles : jour, heure, minute, seconde, semaine, année.

Explication de l'activité
- Nous le savons tous, le temps rythme nos activités quotidiennes. Votre enfant doit donc se familiariser avec les unités conventionnelles qui nous servent à mesurer le temps.
  Informations à mémoriser :

  1 année → 12 mois   1 journée → 24 heures
  1 année → 52 semaines   1 heure → 60 minutes
  1 année → 365 jours   1 minute → 60 secondes
  1 semaine → 7 jours

- Malgré l'apparition des cadrans numériques, l'enfant doit être capable de lire un cadran traditionnel et connaître les rôles respectifs de la grande et de la petite aiguille.

Conseil pratique

Il est très utile de connaître le nombre de jours contenus dans chaque mois. Janvier, mars, mai, juillet, août, octobre et décembre contiennent 31 jours. Les autres en contiennent 30, à l'exception de février qui n'a que 28 jours.

Un petit truc pratique : si, par exemple, un jeudi est le 3 du mois, on peut facilement trouver les dates des autres jeudis en additionnant 7 autant de fois qu'il est nécessaire.

3 (+7) 10 (+7) 17 (+7) 24 (+7) 31

Si c'est un mois de 31 jours, il contient donc 5 jeudis.

Vocabulaire à maîtriser : jour, heure, minute, seconde, semaine, mois, année, noms des jours et des mois.

1 Voici des cadrans d'horloge. Écris l'heure indiquée sur chacune, puis l'heure qu'il sera 15 minutes plus tard.

a)   b)   c)   d)

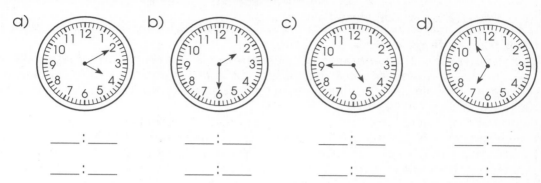

____ : ____   ____ : ____   ____ : ____   ____ : ____

____ : ____   ____ : ____   ____ : ____   ____ : ____

2 Le petit Philippe a 2 ans aujourd'hui. Depuis combien de jours est-il né ?

_____

3 Émile fait partie d'une équipe de gymnastes. Pendant le mois de mai, ce groupe donnera un spectacle tous les vendredis soirs. Si le premier spectacle a lieu le 1er mai, quelles seront les dates des autres représentations ?

_____

4 Compare les durées suivantes à l'aide des signes < , > ou = .

a) 2 mois ◯ 5 semaines

b) 50 semaines ◯ 1 année

c) 120 secondes ◯ 2 minutes

d) 2 jours ◯ 36 heures

e) 1 mois ◯ 24 jours

ACTIVITÉ 42

- Organiser les données d'une enquête à l'aide d'un tableau.
- Interprétation des données à l'aide d'un tableau.

Explication de l'activité

Lorsqu'on étudie différents aspects de la réalité et qu'on veut classifier les données obtenues, ou encore les comparer dans le but d'informer ou de tirer des conclusions, il est très utile d'inscrire les renseignements recueillis dans un tableau ou encore de les illustrer dans un diagramme.

Votre enfant doit être en mesure de comprendre et d'utiliser les informations contenues dans de tels outils. Les diagrammes les plus fréquents sont les diagrammes à bandes horizontales ou verticales, les histogrammes (dans lesquels les bandes sont juxtaposées), les diagrammes à ligne brisée et les diagrammes circulaires. Pour bien comprendre un diagramme, il faut d'abord en lire toutes les composantes :

- le titre, qui explique la nature des renseignements contenus dans le diagramme ;
- les variables inscrites aux extrémités des axes vertical et horizontal (sauf dans le cas du diagramme circulaire) ;
- la gradation (ordinairement des nombres qui évoluent selon une certaine constante).

Il vous est facile de réaliser un diagramme à bandes avec votre enfant. Faites une petite enquête de votre choix. Quels sont les animaux domestiques que possèdent vos parents et amis ? Quel est le mets préféré des gens que vous fréquentez ? Etc. Traduisez vos résultats dans un diagramme comme celui-ci.

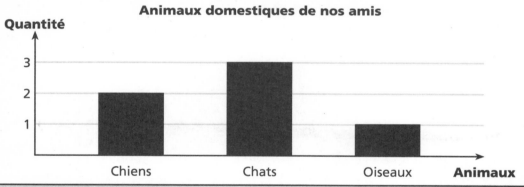

Animaux domestiques de nos amis

Vocabulaire à maîtriser : tableau, diagramme.

1 Une famille compte 7 enfants dont tu peux lire les tailles sur ce diagramme.

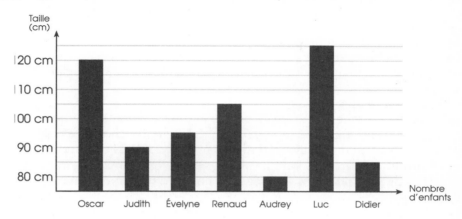

a) Écris les noms de tous les enfants qui mesurent moins d'un mètre.

_____

b) Quelle est la différence de taille entre le plus grand et le plus petit ? _____

2 On t'indique le nombre de livres qui ont été empruntés à la bibliothèque scolaire lors d'une journée. Sur le diagramme ci-dessous, dessine des bandes verticales pour représenter le nombre de livres empruntés dans chaque catégorie.

Romans jeunesse : 40   Récits d'aventures : 55

Documentaires : 35   Bandes dessinées : 42

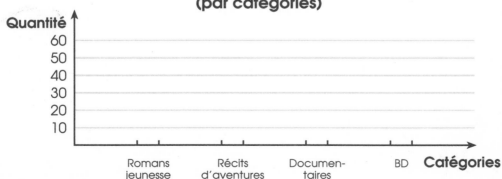

ACTIVITÉ 43

Interpréter des données à l'aide d'un diagramme à ligne brisée.

Explication de l'activité
- Le diagramme à ligne brisée diffère du diagramme à bandes de la page précédente, bien que les éléments de base restent les mêmes :
  - le titre, qui explique la nature des renseignements contenus dans le diagramme ;
  - les variables inscrites aux extrémités des axes ;
  - la graduation des axes.
- Dans ce diagramme, les résultats sont exprimés à l'aide d'une ligne qui se déplace d'une ligne à l'autre, d'où le nom de ligne brisée. On choisit ce diagramme lorsque le caractère que l'on étudie se traduit par des quantités continues, c'est-à-dire qu'il peut prendre toutes les valeurs situées entre les nombres entiers. Exemples : la quantité de précipitations tombées, les profits d'une compagnie, la croissance d'un enfant, etc.

Conseil pratique
Invitez votre enfant à construire un ou des diagrammes à ligne brisée pour traduire des réalités qui le concernent, comme sa croissance ou l'évolution de ses économies.
Vocabulaire à maîtriser : diagramme à ligne brisée.

1 Observe ce diagramme

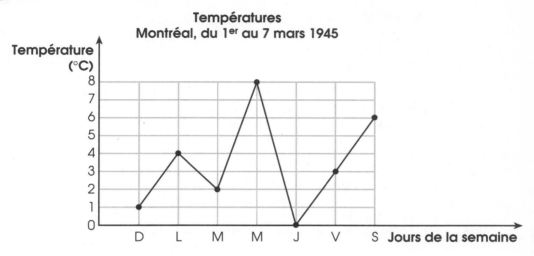

Températures
Montréal, du 1ᵉʳ au 7 mars 1945

a) Quelles informations ce diagramme contient-il ? _____

b) Durant cette semaine, quelle fut la journée

la plus chaude ? _____

la plus froide ? _____

c) Entre quelles journées y a-t-il eu la plus grande différence de

température ? _____

2 Jules économise régulièrement. Sur ce diagramme, trace une ligne brisée qui indique le montant de ses économies pendant les six premiers mois de l'année.

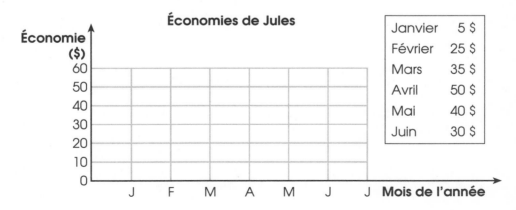

Économies de Jules

Janvier	5 $
Février	25 $
Mars	35 $
Avril	50 $
Mai	40 $
Juin	30 $

ACTIVITÉ 44

- Expérimenter des activités liées au hasard.
- Prédire la probabilité qu'un événement simple se produise (plus probable, également probable, moins probable ; certain, possible, impossible).

Explication de l'activité

- Lorsque les résultats d'une action sont complètement livrés au hasard, on dit qu'il s'agit d'une <u>activité aléatoire</u>. Si le poids d'un dé n'est pas également réparti ou si des cartes sont truquées, il n'y a plus de hasard puisqu'on exerce une influence sur les résultats.
- Le résultat attendu est

<u>certain</u>, si c'est le seul résultat possible. Ex. : tirer une boule noire d'un bocal contenant 5 boules noires ;

<u>impossible</u>, s'il n'a aucune chance d'être obtenu. Ex. : tirer une boule blanche d'un bocal contenant 5 boules noires ;

<u>possible</u>, s'il a une ou plusieurs possibilités d'être obtenu. Ex. : tirer une boule rouge d'un bocal contenant 2 boules noires, 2 boules blanches et 2 boules rouges.

- Toutefois, parmi certains résultats, certains sont plus probables que d'autres. Par exemple, si un bocal contient 3 boules noires et 7 boules blanches, le fait d'obtenir une boule blanche est plus probable que celui d'obtenir une boule noire.

Conseil pratique

Les jeux de hasard occupent une place de plus en plus grande dans notre société. Les enfants, comme beaucoup d'adultes, peuvent être fascinés par l'appât du gain facile ! Connaître les probabilités permet d'évaluer ses chances réelles de gagner et combat... la pensée magique !

Vocabulaire à maîtriser : hasard, activité aléatoire, probabilité.

Activité 44

1 Une enseignante veut faire tirer une récompense à ses 26 élèves. Elle leur distribue au hasard les 26 lettres de l'alphabet. D'autre part, elle dépose dans une boîte toutes les lettres contenues dans les jours de la semaine. Mes amis et moi avons reçu les lettres suivantes :

Moi : a   Sophie : f   Caroline : i

Pedro : d   Fernandez : m   Jean-François : n

2 Écris les jours de la semaine

_____

Écris les lettres contenues dans la boîte et le nombre de fois que chacune y apparaît

___ : ___	___ : ___	___ : ___	___ : ___
___ : ___	___ : ___	___ : ___	___ : ___
___ : ___	___ : ___	___ : ___	___ : ___
___ : ___	___ : ___	___ : ___	___ : ___
___ : ___	___ : ___	___ : ___	

3 Réponds par <u>vrai</u> ou <u>faux</u>

a) Sophie n'a aucune chance de gagner.   _____

b) Je suis certaine de ne pas gagner.   _____

c) Caroline a plus de chances que moi.   _____

d) C'est Caroline qui a la plus de chances.   _____

e) Pedro est certain de gagner.   _____

f) Jean-François a autant de chances que moi.   _____

4 Écris les noms de mes amis qui ont

a) plus de chances que moi :

_____

b) moins de chances que moi :

_____

ACTIVITÉ 45
Dénombrer les résultats possibles d'une expérience aléatoire à l'aide d'un tableau, d'un diagramme en arbre.

Explication de l'activité

- Il est intéressant de réaliser une activité aléatoire et d'en noter les résultats dans un tableau semblable à celui du numéro 1 de l'activité 45. L'apparition d'un résultat peut être notée par une barre verticale et 5 résultats semblables, de la façon suivante : ЖЖ. De cette façon, le dénombrement est très facile.

- Si l'expérience se déroule en deux temps, il est préférable de dessiner un arbre qui décrit tous les résultats possibles. Par exemple, des parents prévoient avoir 2 enfants. Notons d'abord les résultats possibles de la première grossesse. (Notez que pour simplifier la situation, nous ne tenons pas compte de la probabilité d'avoir des jumeaux !) Puis, pour chacun de ces résultats, notons les résultats possibles de la deuxième grossesse. Cela donne l'arbre suivant et tous les résultats sont inscrits à droite.

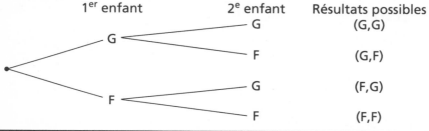

1 Lance plusieurs fois une pièce de monnaie et note tes résultats dans ce tableau. Observe les résultats après 25, 50, 75, 100 lancers. Plus le nombre d'essais sera élevé, plus les deux résultats devraient être semblables puisque la probabilité d'obtenir <u>pile</u> est égale à celle d'obtenir <u>face</u>.

Pile	Face
Total :	Total :

2 Dans chaque cas décrit ci-dessous, énumère tous les résultats que tu peux obtenir.

a) Tu jettes un dé et tu observes le résultat obtenu. Tu peux voir _____

b) Tu prends les cartes de cœur d'un jeu de cartes. Tu piges une carte. Tu peux obtenir _____

c) Tu piges au hasard dans un sac qui contient les lettres du mot <u>mercredi</u>. Tu peux piger _____

3 Tu lances une pièce de monnaie deux fois. Remplis l'arbre suivant afin de trouver tous les résultats possibles.

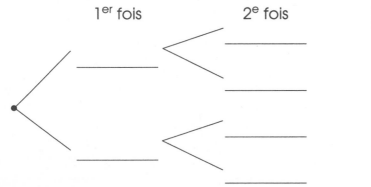

La planche à calculer

1	1	1	1	1	**Unités**
1	1	1	1	1	

10	10	10	10	10	**Dizaines**
10	10	10	10	10	

100	100	100	100	100	**Centaines**
100	100	100	100	100	

1 000	1 000	1 000	1 000	1 000	**Unités de mille**
1 000	1 000	1 000	1 000	1 000	

10 000	10 000	10 000	10 000	10 000	**Dizaines de mille**
10 000	10 000	10 000	10 000	10 000	

La science et la technologie… une fenêtre sur le monde… voilà comment le ministère de l'Éducation présente l'étude de cette discipline. Tout au long des activités de cette section, votre enfant développera une façon de penser propre à la science et à la technologie. Ainsi, après lui avoir soumis un problème « réel » issu du monde qui l'entoure, votre enfant sera guidé pour lui permettre d'émettre des hypothèses, de les vérifier et de conclure comme un véritable scientifique. Il s'appuiera sur différentes habiletés comme l'observation, la mesure, l'interprétation des données et la vérification pour répondre à des questions visant à mieux expliquer le monde environnant. Les observations et manipulations simples proposées ici lui permettront d'apprendre à se questionner, à faire preuve d'ouverture d'esprit et de créativité.

Alors, n'hésitez pas à emboîter le pas, vous aiderez votre enfant à développer sa curiosité intellectuelle et à explorer avec lui le monde fascinant de la science et de la technologie.

**Schéma de science et technologie –
2e et 3e cycles du primaire.**

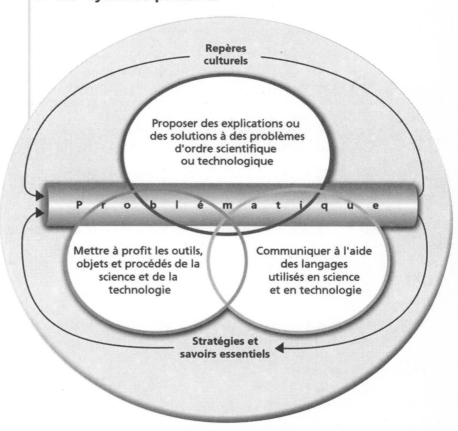

Diagramme tiré du site du ministère de l'Éducation, *http://www.meq.gouv.qc.ca/DGFJ/dp/programme_ de_formation/primaire/pdf/prform2001nb/prform2001nb-062.pdf*, p. 145.

Référence au 2ᵉ cycle du primaire

Savoirs essentiels :
Univers matériel, propriétés et caractéristiques de la matière.

CONSEILS PRATIQUES

Il pourrait être intéressant d'aborder l'aspect environnemental avec cette activité. L'enfant pourrait comparer l'utilisation de couches de coton et l'utilisation de couches jetables. Les couches jetables représentent 2 % des déchets de nos dépotoirs en Amérique du Nord. Il peut ainsi comprendre comment la science nous rejoint dans notre quotidien et que les choix du consommateur ont des effets sur l'environnement.

SÉCURITÉ : lors du découpage des couches, il est important de ne pas respirer les particules composant les couches, elles pourraient causer des irritations nasales et d'éviter le contact de la substance avec les yeux. Attention, les animaux assoiffés pourraient vouloir lécher la substance.

Pour obtenir des informations scientifiques sur le sujet : consulter la page 171.

Pour consulter la liste de vocabulaire propre à cette activité : consulter la page 223.

LA QUESTION PROBLÈME

Quelle est la couche la plus absorbante et pourquoi ?

RÉSUMÉ DE LA SITUATION PROBLÈME

Cette activité permet à votre enfant de réaliser une démarche expérimentale et descriptive. Il découvrira les propriétés de la matière composant les couches. Une propriété est ce qui caractérise la matière : couleur, forme, texture, masse, volume, etc.

Matériel requis

– couches de 2 marques différentes ;	– balance à aliments (facultatif) ;
– 2 verres en plastique transparents ;	– tasse à mesurer ;
– ciseau ;	– eau ;
– crayon marqueur ;	– loupe (facultatif) ;
	– règle.

Durée totale

30 minutes et plus.
– temps de préparation : 10 minutes
– temps d'observation et de collecte de données : 10 minutes
– temps de discussion : 10 minutes
– temps de réalisation pour créer un nouveau produit : variable

Démarche proposée

Suivre toutes les étapes proposées :
Suggestion pour l'étape 4 : laisser l'enfant s'exprimer sur les facteurs pouvant faire varier l'expérience « pourrait-on refaire l'expérience différemment ». Voici quelques exemples : la température du liquide, type de liquide (attention, protéger les yeux à cause des éclaboussures possibles), etc.

QUELLE EST LA COUCHE LA PLUS ABSORBANTE ?

 Mise en situation

La publicité vante les qualités de plusieurs produits et les couches ne font pas exception. Plusieurs parents se demandent quelle est la couche la plus absorbante. Comment trouver celle qui tiendra bébé au sec !

ÉTAPE 2 Réfléchissons

Que sais-tu des couches ? Décris une couche : couleur, forme, marque, épaisseur, avant usage, après usage, etc.
Que contiennent-elles ?

_____

_____

_____

_____

Comment pourrais-tu faire pour trouver la couche la plus absorbante ? As-tu des idées pour trouver une façon de les comparer ?

_____

_____

_____

_____

_____

ÉTAPE 3 Expérimentons

Découpe deux cercles dans deux couches de marques différentes.
Place-les au fond de chacun des verres. Mesure l'épaisseur
de la couche en faisant une marque au crayon feutre sur le verre.

Si tu le peux, mesure la masse d'une première couche, puis celle de
l'autre à l'aide d'une balance à aliments. Si tu n'as pas de balance,
sers-toi de tes mains et d'objets dont tu connais la masse (ex. : 250 g
de beurre dans son emballage) pour déterminer de combien de fois
la couche a multiplié sa masse.

Ensuite, mesure 250 ml dans une tasse à mesurer.
Verse tout doucement une quantité d'eau dans
le verre jusqu'à ce que la couche ait atteint
sa capacité maximum d'absorption.
Fais la même chose pour l'autre couche.

TABLEAU DE COLLECTE DE DONNÉES

Caractéristiques À sec : Volume, masse.	Couche #1	Couche #2	Observations Couleurs, texture, ça ressemble à …, ça me fait penser à …
Après absorption, quantité d'eau absorbée en ml			
Après absorption, volume (la couche a-t-elle doublé, triplé, quadruplé en épaisseur ?)			
Masse (facultatif)			

ÉTAPE 4 Concluons

a) Que peux-tu conclure de ton expérimentation ? Que peux-tu dire de la rapidité d'absorption ? Comment sais-tu que la couche a absorbé le maximum qu'elle peut contenir ? Peux-tu comparer le volume du gel obtenu au volume de la couche au départ ? Y a-t-il une couche qui te semble plus absorbante que l'autre ? Quelles sont les raisons de la supériorité de cette couche ?

b) Coche selon tes observations :

La couche 1 _____ double son volume

Ou de combien augmente-elle son volume ? _____

La couche 2 _____ double son volume

Ou de combien augmente-elle son volume ? _____

La couche 1 _____ double sa masse

Ou de combien augmente-elle sa masse _____

La couche 2 _____ double sa masse

Ou de combien augmente-elle sa masse _____

ÉTAPE 5 Poursuivons

a) Quelle(s) autre(s) question (s) te poses-tu sur cette substance ?

b) Combien de temps crois-tu que le gel obtenu peut demeurer humide ?

1 heure _____ 1 jour _____ 1 semaine et plus _____

c) Pense à d'autres utilisations de cette substance contenue dans les couches. Y-a-t-il d'autres utilités que tu y vois ?

Les gens qui travaillent dans l'industrie sont toujours à la recherche de nouvelles idées, de nouveaux produits. Tu peux, toi aussi, utiliser ta créativité et penser à une façon intéressante d'utiliser le produit dans les couches.

ÉTAPE 6 **Faisons le point**

Remets dans l'ordre les activités réalisées pour
cette expérimentation :

_____ observer les échantillons de couches au sec ;

_____ lire le problème ;

_____ observer les échantillons de couches ayant absorbés
l'eau ;

_____ faire des hypothèses ;

_____ prendre des mesures ;

_____ conclure à partir des données récoltées ;

_____ penser à d'autres utilisations possibles.

Informations scientifiques

Les couches sont composées d'une substance composée de granules. Ce composé chimique en présence de l'eau l'absorbe et forme un gel. Cette substance est un polymère super-absorbant appelée polyacrylate.

Un autre produit semblable est le polyacrylamide qui est utilisé dans certains types de sol pour garder humide des plants. Les granules se gonflent lorsqu'elles absorbent l'eau, les plantes tirent alors doucement l'eau dont elles ont besoin. Les granules «rétrécissent» lorsqu'elles s'assèchent. Lorsqu'on remet de l'eau, elles se gonflent à nouveau et ce processus peut durer des années. Toute substance possède des propriétés qui lui sont caractéristiques.

La densité de l'urine se rapproche de celle de l'eau, soit un gramme par millilitre.

Le polyacrylate peut retenir jusqu'à 10 fois son poids. Pour vous aider : la couche comprend : un tissu poreux et hydrophobe (qui restreint le contact de la peau avec l'humidité), une bourre absorbante et une pellicule plastique qui protège les vêtements. La bourre comprend des fibres qui stabilisent le matériau super-absorbant.

Sources : Pépin, R. (2001). *Au-delà des apparences, la dimension scientifique de la vie quotidienne.* Montréal, Éd. Multimondes.

Thouin, M. (2001). *Problèmes de science et de technologie pour le primaire et le secondaire.* Montréal, Éd. Multimondes.

The Usborne Internet-Linked Science Encyclopedia with 1000 Recommended Web Sites. London, England, Usborne Publishing Ltd.

Savoirs essentiels :
Terre et espace :
– les systèmes météorologiques,
– les sources d'énergie : énergie éolienne, conception et fabrication d'instruments de mesure et de prototypes.

CONSEILS PRATIQUES

Pour cette activité, l'enfant doit concevoir un appareil qui permet de trouver la direction du vent. La créativité, le choix des matériaux, la fonctionnalité de son appareil sont au rendez-vous. Il n'y a pas qu'un modèle mais plusieurs. L'apprentissage de la technologie mène l'enfant à résoudre un problème pour répondre à un besoin.

Il pourrait être intéressant d'aborder l'aspect environnemental avec cette activité : les énergies renouvelables, les éoliennes, les coûts sociaux, environnementaux et économiques.

Pour obtenir des informations scientifiques sur le sujet : Consulter la page 175.

Pour consulter la liste de vocabulaire propre à cette activité : consulter la page 223.

LA QUESTION PROBLÈME

Nous vivons dans un monde où on cherche des moyens d'économiser l'énergie, on cherche également de nouvelles sources d'énergie. Comment faire pour trouver la provenance du vent et mesurer la vitesse du vent ?

RÉSUMÉ DE LA SITUATION PROBLÈME

Cette activité permet à votre enfant de réaliser une démarche technologique. Il découvrira les propriétés et la vitesse du vent.

Matériel requis

– tiges de bois (baguette à shish-kebab) ;	– cordes ;
– colle ;	– balle de ping-pong ;
– règle ;	– bouchon de liège ;
– papier ;	– bouteille ;
– verres de carton (cylindrique) ;	– ciseau ;
– punaises ;	– pailles ;
– trombones ;	(la liste peut être plus longue selon les besoins de la construction de l'enfant.
– pince pour papier ;	

Durée

– temps de préparation : 10 minutes
– temps de réalisation : 25 minutes
– temps de discussion : 10 minutes

Démarche proposée

Étape 1 : lire la mise en situation avec votre enfant ;
Étape 2 : lui demander ce qu'il pense de cette situation (à ce stade-ci, l'enfant fait appel à ses connaissances antérieures et tente de cerner les éléments essentiels de la situation).
Étape 3 : l'encourager à dessiner plusieurs modèles ;
Étape 4 : laisser l'enfant identifier les forces et les limites de son modèle et conclure à partir de ses observations ;
Étape 5 : terminer en permettant à l'enfant de relever les principales étapes de sa démarche.

Informations scientifiques

SÉCURITÉ : Si l'enfant utilise un fusil à colle chaude, lui expliquer comment l'utiliser afin d'éviter les brûlures.

COMMENT TROUVER LA PROVENANCE DU VENT ?

ÉTAPE 1 **Mise en situation**

Le vent est un déplacement d'air provoqué par la rencontre d'air froid et d'air chaud. Il est souvent utile de connaître la direction et la vitesse du vent. Pense à un appareil qui te permettrait de mieux « saisir » le vent, sa vitesse et sa direction.

Cahier de charges :

Ton appareil devrait répondre aux critères suivants :

- légèreté
- belle apparence
- économie de matériel (matériel recyclé ou peu coûteux)
- stabilité de l'appareil (assez solide pour s'en servir plus d'une fois).

ÉTAPE 2 **Réfléchissons**

Que sais-tu du vent (provenance, propriétés, utilités, etc.) ?

_____

Explique ce que ton modèle doit faire :

_____

_____

ÉTAPE 3 Réalisons

Fais la liste des idées
d'appareils que
tu as en faisant
des croquis.

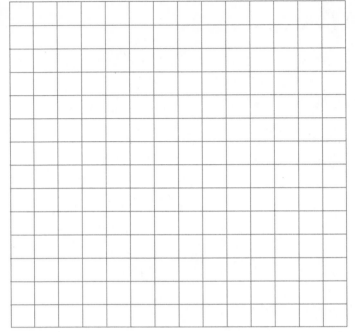

Quelle idée retiens-tu ? _____

Dessine ton appareil en donnant quelques détails entourant
sa construction (nom, mesure et fonction des pièces, description
du fonctionnement).

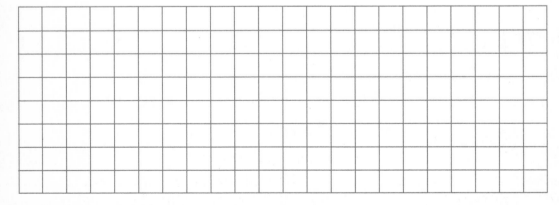

Fais la liste du matériel dont tu auras besoin pour le réaliser :

_____

_____

Procède à sa construction.

ÉTAPE 4 Concluons

a) Que peux-tu conclure de ton modèle ? (ses forces, ses limites, comment tu pourrais l'améliorer…)_____

b) Le vent semble-t-il plus fort s'il provient de l'ouest ____ de l'est ?____ du nord ? ____ du sud ? ____ dépend des régions ?____

c) Le vent semble-t-il plus chaud s'il provient de l'ouest ? ____ de l'est ? ____ du nord ? ____du sud ?____

d) Pense à différentes utilités du vent :

_____

e) Pense à différents inconvénients du vent :

_____

Suggestions : si tu as le goût, fais des recherches sur les éoliennes et leurs utilités.

ÉTAPE 5 Faisons le point

Remets dans l'ordre les activités réalisées pour la conception de ton appareil :

_____ faire l'inventaire de tes idées ;

_____ lire le problème ;

_____ tester l'appareil ;

_____ choisir un modèle, récolter le matériel et procéder à sa conception ;

_____ améliorer l'appareil à partir de différents essais.

Informations scientifiques

Le vent est provoqué par la rencontre de l'air froid et de l'air chaud. C'est un déplacement d'air : l'air chaud (plus léger) monte et se refroidit en montant dans l'atmosphère. L'air froid (plus lourd) se fait «tasser» par l'air chaud et se déplace vers le sol en prenant l'espace vide laissé par l'air chaud.

Référence au 2e cycle du primaire

Savoirs essentiels :
Terre et espace, propriétés et caractéristiques de la matière terrestre.

LA QUESTION PROBLÈME

Comment peut-on rendre potable l'eau salée ?

RÉSUMÉ DE LA SITUATION PROBLÈME

Cette activité permet à votre enfant de réaliser une démarche expérimentale. Il découvrira les propriétés et caractéristiques de l'eau et réalisera l'importance de l'eau potable sur la terre. Il pourra également s'initier au cycle de l'eau.

Matériel requis

- verre transparent ;
- une cuillerée à thé de sel ;
- du papier noir ;
- un élastique ;
- de la pellicule transparente ;
- filtre à café ;
- entonnoir.

Durée totale : 30 minutes.

- temps de préparation : 10 minutes
- temps d'observation et de collecte de données : 40 minutes
- temps de discussion : 10 minutes

Démarche proposée

Étape 1 : lire la mise en situation avec votre enfant ;
Étape 2 : lui demander ce qu'il pense de cette situation (à ce stade-ci, toutes ses réponses sont acceptées puisqu'il émet ses hypothèses).
Étape 3 : suivre les étapes proposées selon les hypothèses avancées ;
Étape 4 : laisser l'enfant s'exprimer sur son expérimentation ;
Étape 5 : laisser l'enfant pousser sa curiosité, l'appuyer dans ses recherches s'il a le goût d'aller plus loin (aller à la bibliothèque, visiter des sites Internet, procéder à d'autres expérimentations, aller visiter une usine de filtration des eaux, etc.) ;
Étape 6 : revenir avec l'enfant sur sa démarche, l'aider à se rappeler des principales étapes.

CONSEILS PRATIQUES

Avant d'aller voir la marche à suivre, il serait intéressant de faire trouver à l'enfant sa propre démarche d'expérimentation. Les vrais scientifiques ne disposent pas de livre de recette pour répondre à une question, ils cherchent, font des essais, se trompent, recommencent et utilisent leur créativité. C'est ce qui est visé dans le programme de formation du MEQ en science et technologie. Posez à l'enfant différentes questions, « qu'est-ce qu'on pourrait faire », « si on essayait », « que se passerait-il si… ».

Pour obtenir des informations scientifiques sur le sujet : Consulter la page 181.

Pour consulter la liste de vocabulaire propre à cette activité : consulter la page 223.

COMMENT PEUT-ON RENDRE POTABLE L'EAU SALÉE?

ÉTAPE 1 **Mise en situation**

Certains pays disposent de peu d'eau pour l'ensemble de leurs habitants. Dans certaines communautés, les gens doivent marcher de longues heures pour aller au puits et revenir avec un peu d'eau dans une chaudière.

L'eau salée est par contre plus abondante sur la terre. Comment peut-on rendre potable l'eau salée?

ÉTAPE 2 **Réfléchissons**

Selon toi, où trouve-t-on l'eau salée, l'eau douce, l'eau potable?

_____
_____
_____
_____

Pense à différentes façons d'obtenir de l'eau douce à partir de l'eau salée. Coche une des hypothèses suivantes selon ce que tu en penses:

☐ chauffer l'eau

☐ attendre que le sel se dépose au fond

☐ siphonner le sel avec un aimant

☐ filtrer l'eau à l'aide d'un filtre à café

☐ autre: _____

ÉTAPE 3 Expérimentons

Hypothèse 1 : Chauffer l'eau
Activité 1

1. Remplis un verre d'eau. Ajoute 1 cuillerée à thé de sel et mélange. Goûte à l'eau salée.
2. Recouvre l'ouverture du verre d'une pellicule plastique et place un élastique pour maintenir la pellicule en place.
3. Mets le verre d'eau salée sur une feuille de papier noir dans un endroit ensoleillé.
4. Après une heure, retire doucement la pellicule plastique pour garder l'eau sur elle. Goûte à l'eau qui a adhéré à la pellicule et goûte ensuite à l'eau du verre.
5. Que peux-tu conclure de cette activité ?

Hypothèse 2 : Attendre que le sel se dépose au fond
Activité 2

1. Remplis un verre d'eau. Ajoute 1 cuillerée à thé de sel et mélange. Goûte à l'eau salée.
2. Note aux dix minutes tes observations et le goût de l'eau.

Temps	Observations (sel déposé au fond, clarté de l'eau, etc.)	Goût (salé« S », très salé «TS», normal «N».)
10 minutes		
20 minutes		
30 minutes		
40 minutes		

3. Que peux-tu conclure de ton expérimentation ? Est-ce que cette méthode est efficace ?

Hypothèse 3 : Filtrer l'eau à l'aide d'un filtre à café

Activité 3

1. Remplis un verre d'eau. Ajoute 1 cuillerée à thé de sel et mélange. Goûte à l'eau salée.

2. Prends un filtre à café, dépose-le au-dessus d'un verre dans un entonnoir.

3. Verse doucement l'eau salée. Goûte à l'eau qui se trouve dans le verre. Observe ce que tu peux trouver dans le filtre. Y-a-t-il des traces de sel ?

   Que peux-tu conclure de ton expérience ?

   _____
   _____
   _____
   _____

ÉTAPE 4 **Concluons**

Que peux-tu conclure de ton ou tes expérimentation(s) ?

_____
_____

ÉTAPE 5 Poursuivons

Quelle(s) autre(s) question (s) te poses-tu sur l'eau salée
et les différentes substances que l'on retrouve dans l'eau ?

Suggestions :
- Fais une recherche sur les usines de filtration des eaux.
- Pense à différentes façons d'économiser l'eau chez toi.
  Certains petits gestes peuvent faire beaucoup pour limiter
  la quantité d'eau utilisée par chaque famille.
- Mesure le pH de l'eau avec un boîtier de test du pH pour
  piscine.
- Fais une petite enquête auprès de tes proches sur la question
  suivante : devrait-on payer pour l'eau potable ?

ÉTAPE 6 Faisons le point

Remets dans l'ordre les activités réalisées pour cette
expérimentation :

_____ réaliser l'expérimentation ;

_____ lire le problème ;

_____ observer ce qui se passe ;

_____ faire des hypothèses ;

_____ penser à d'autres questions et d'autres expériences
pour poursuivre ;

_____ conclure à partir de l'expérimentation.

Informations scientifiques

• L'eau que nous consommons provient indirectement des océans. C'est le **cycle de l'eau** qui nous permet de consommer une eau potable. En effet, l'eau des océans est réchauffée par le soleil et s'évapore dans l'atmosphère. Le sel reste dans l'océan. Les vapeurs d'eau forment des nuages et ces nuages voyagent au-dessus des continents où la pluie tombe dans les lacs, les rivières et sur la terre. Une partie de l'eau de pluie s'enfonce dans le sol et rejoint des nappes d'eaux souterraines. Dans les campagnes, beaucoup de gens utilisent des puits pour obtenir leur eau potable. Dans les villes, des usines de traitement des eaux filtrent l'eau des environs avant de l'acheminer dans les maisons. Divers polluants peuvent être présents dans l'eau et la rendre impropre à la consommation.

• **Une Ressource naturelle** est une substance qui provient de la terre et que les êtres humains utilisent.

• Attention, beaucoup d'enfants croient que l'eau qui semble limpide et transparente est nécessairement potable. Rappelez à votre enfant que même l'eau qui semble propre dans un petit ruisseau de montagne peut contenir des traces de bactéries provenant des excréments de différents animaux. Cette eau peut causer de graves problèmes intestinaux et empoisonner une personne.

Référence au 2e cycle du primaire

Savoirs essentiels :
Univers matériel, propriétés et caractéristiques de la matière.

LA QUESTION PROBLÈME

De quelle manière peut-on conserver des fruits coupés ?

RÉSUMÉ DE LA SITUATION PROBLÈME

Cette activité permet à votre enfant de réaliser une démarche expérimentale et descriptive. Il découvrira les propriétés et caractéristiques de la matière.

Matériel requis

– l'un ou l'autre des fruits suivants : pommes, poires ;
– sel ;
– sucre ;
– vinaigre ;
– jus de citron ;
– sirop d'érable ;
– yogourt ;
– mayonnaise ;
– vitamine C ;
– sac « zip-lock ».

Durée totale

30 minutes et plus.
– temps de préparation : 10 minutes
– temps de réalisation : 10 minutes + 60 à 120 minutes d'attente
– temps d'observation et de collecte de données : 10 minutes
– temps de discussion : 10 minutes

Démarche proposée

Étape 1 : lire la mise en situation avec votre enfant ;
Étape 2 : lui demander ce qu'il pense de cette situation (à ce stade-ci, toutes ses réponses sont acceptées puisqu'il émet ses hypothèses).
Étape 3 : suivre les étapes proposées dans les activités ;
Étape 4 : laisser l'enfant conclure à partir de ses données d'observation ;
Étape 5 : laisser l'enfant réfléchir et trouver des exemples (le fer et l'air humide provoquent la rouille, le vin est le résultat de la fermentation entre le jus de raisin et divers enzymes, l'effet du savon est le résultat d'une réaction chimique entre l'eau, le détergent et les taches, etc.).

CONSEILS AUX PARENTS

Dans cette activité, nous fournissons un tableau de collecte de données. Il serait souhaitable de discuter avec votre enfant sur la façon d'organiser les données avant de lui fournir le tableau. L'enfant doit apprendre à organiser l'information à sa façon. Si nous lui fournissons toujours des tableaux tous faits, ils ne prendront pas l'habitude de chercher des façons de s'organiser. Il est bon qu'il ait des modèles d'organisation de temps à autre mais il est bon de les laisser chercher des moyens d'ordonner les éléments observés, de les laisser prendre des notes pendant l'expérimentation pour ensuite se relire et être au clair sur ce qui s'est déroulé. Il faut également se rappeler que le langage en science n'est pas le langage « phrasé » ; il est composé de tableaux, de graphiques, de symboles, diagrammes, termes spécialisés.

Pour obtenir des informations scientifiques sur le sujet : consulter la page 187.

Pour consulter la liste de vocabulaire propre à cette activité : consulter la page 223.

PEUT-ON CONSERVER DES FRUITS COUPÉS ?

ÉTAPE 1 Mise en situation

Aimes-tu la fondue au chocolat dans laquelle on trempe de bons morceaux de fruits ? As-tu déjà remarqué que les fruits coupés brunissent ?

ÉTAPE 2 Réfléchissons

Est-ce que cela se produit chez tous les fruits ?

Que sais-tu des fruits lorsqu'on les coupe ?

_____

_____

Comment pourrait-on faire pour limiter le brunissement des fruits ?

_____

_____

Parmi les moyens suivants, lesquels crois-tu intéressants pour contrer le brunissement des fruits ? Rappelle-toi qu'il ne faut pas le goût des fruits en soit altéré.

- [ ] mettre du sel sur les morceaux de fruit ;
- [ ] mettre du sucre sur les morceaux de fruit ;
- [ ] mettre du vinaigre sur les morceaux de fruit ;
- [ ] mettre de la poudre à pâte sur les morceaux de fruit ;
- [ ] mettre de l'huile sur les morceaux de fruit ;
- [ ] mettre du jus de citron sur les morceaux de fruit ;
- [ ] mettre les morceaux de fruit dans l'eau ;
- [ ] mettre les morceaux de fruit dans un sac ;
- [ ] autre(s) solution(s) _____

ÉTAPE 3 Expérimentons

Choisis les substances que tu crois capables de freiner le brunissement des fruits. Applique-les sur les fruits et attends une heure ou deux pour observer la réaction des morceaux de fruits.

TABLEAU DE COLLECTE DE DONNÉES

Fruit 1 : _____

Substance ou moyen utilisé ;	Observations, une heure après application. Couleurs, texture, ça ressemble à …, ça me fait penser à …

Fruit 2 : _____

Substance ou moyen utilisé ;	Observations, une heure après application. Couleurs, texture, ça ressemble à …, ça me fait penser à …

Fruit 3 : _____

Substance ou moyen utilisé ;	Observations, une heure après application. Couleurs, texture, ça ressemble à ..., ça me fait penser à ...

ÉTAPE 4   Concluons

Que peux-tu conclure de ton expérimentation ? Quelle(s) substance(s) ou quel(s) moyen(s) semble(nt) le mieux protéger les morceaux de fruits ? Peux-tu placer en ordre les moyens ou les substances du moins protecteur au plus protecteur ? D'après toi, qu'est-ce qui explique que ces substances protègent les morceaux ? Est-ce que les fruits réagissent de la même façon aux mêmes substances ?

_____

_____

_____

_____

_____

_____

ÉTAPE 5 Poursuivons

Connais-tu d'autres substances qui subissent des réactions chimiques? Lesquelles?

_____

_____

_____

_____

ÉTAPE 6 Faisons le point

Remets dans l'ordre les activités réalisées pour cette expérimentation :

_____ observer les morceaux de fruits fraîchement coupés ;

_____ lire le problème ;

_____ observer les morceaux de fruits une heure après avoir appliqué une substance sur eux ou après avoir utilisé un moyen de protection (eau, sac, ou autre) ;

_____ faire des hypothèses ;

_____ récolter des données d'observation ;

_____ conclure à partir des données récoltées.

Informations scientifiques

La réaction chimique qui se produit entre la pomme et l'oxygène provoque le brunissement des fruits. Cette réaction a lieu lorsqu'on coupe un fruit. Ce dernier se défend en faisant réagir une enzyme et du phénol (tous deux présents dans la plante). Il résulte de cette rencontre une substance foncée qui vise à éviter la prolifération de bactéries et de moisissure. Le sel, le sucre, le jus de citron, le vinaigre bloquent l'action de l'enzyme responsable du brunissement, ce sont des anti-oxydants. Ils s'oxydent les premiers ce qui permet au fruit de garder sa couleur.

L'oxydation est une réaction chimique qui fait perdre des atomes d'hydrogène à une substance lorsqu'elle entre en contact avec de l'oxygène.

Sources : Pépin, R. (2001). *Au-delà des apparences, la dimension scientifique de la vie quotidienne.* Montréal, Éd. Multimondes.

Thouin, M. (2001). *Problèmes de science et de technologie pour le primaire et le secondaire.* Montréal, Éd. Multimondes.

The Usborne Internet-Linked Science Encyclopedia with 1000 Recommended Web Sites. London, England, Usborne Publishing Ltd.

Référence au 2ᵉ cycle du primaire

Savoirs essentiels:
Matière: caractéristiques et propriétés de la matière.

LA QUESTION PROBLÈME

Comment fabrique-t-on les crayons à mine?
Que signifie les lettres HB sur un crayon?
Comment la gomme à effacer réussit-elle à enlever un trait de crayon?

RÉSUMÉ DE LA SITUATION PROBLÈME:

Cette activité permet à votre enfant de réfléchir à la démarche technologique. Cette activité ne constitue pas une démarche technologique complète, elle se veut plutôt un prétexte pour regarder le monde des objets et s'interroger sur leur fabrication. L'enfant découvrira les propriétés de la matière et développera sa compréhension entourant la fabrication d'un objet qu'il utilise tous les jours. S'interroger sur son environnement est une attitude intellectuelle à développer. Suite à cette activité, il pourrait être intéressant d'aborder les métiers qui entourent la fabrication d'objets (designer industriel, ingénieur, fabriquant d'auto, technicien en robotique, etc.)

Matériel requis

Crayon à mine

Durée

– temps de préparation: 10 minutes
– temps de réalisation: 10 minutes
– temps de discussion: 10 minutes

Démarche proposée

Étape 1: lire la mise en situation avec votre enfant;
Étape 2: lui demander ce qu'il pense de cette situation
(à ce stade-ci, l'enfant fait appel à ses connaissances antérieures et tente de cerner les éléments essentiels de la situation).
Étape 3: l'encourager à dessiner plusieurs modèles.

CONSEILS PRATIQUES

Pour obtenir des informations scientifiques sur le sujet: Consulter la page 191.

Pour consulter la liste de vocabulaire propre à cette activité: consulter la page 223.

COMMENT FABRIQUE-T-ON LES CRAYONS À MINE ?

ÉTAPE 1 **Mise en situation**

Chaque jour, tu utilises des crayons. As-tu déjà réfléchi sur la façon dont on fabrique les crayons à mine ?

ÉTAPE 2 **Réfléchissons**

Décris un crayon à mine :

_____
_____
_____
_____
_____
_____
_____
_____
_____
_____
_____
_____

ÉTAPE 3 **Réalisons**

Comment fabrique-t-on un crayon ? Selon toi, décris les étapes, les matériaux nécessaires à la fabrication des crayons, dessine des croquis pour décrire ce que tu en penses, numérote les étapes, indique avec des flèches les matériaux, les mesures ;

Quelles sont les qualités d'un bon crayon?

Selon toi, que signifie les lettres sur ton crayon?

Lis avec tes parents les explications qui entourent la fabrication d'un crayon à mine à la page suivante.

Tu peux poursuivre ta réflexion sur les objets qui t'entourent, sur leur fabrication. Imagine comment on s'y est pris pour les fabriquer.

Informations scientifiques

Autrefois, on creusait des trous dans des tiges de bois puis on y insérait du graphite.

Aujourd'hui, on utilise des lattes de cèdre dans lesquelles on fait des sillons. On place ensuite des mines de graphite dans les sillons et on colle une latte identique sur la première latte. Cette sorte de sandwich est ensuite découpée en crayon. Si on prend le temps d'observer un crayon neuf, on peut remarquer les deux parties collées. On utilise encore le terme crayon de plomb alors qu'il n'y a pas de plomb dans les crayons mais du graphite.

Il existe différents systèmes de cotation pour exprimer les caractéristiques de la mine d'un crayon. Certains utilisent des chiffres, d'autres des lettres.

Les crayons sont cotés selon la dureté de la mine et la couleur du trait. Certains utilisent des chiffres, d'autres des lettres.

Par exemple plus le numéro est gros, plus la mine est dure et plus le trait est pâle. Un crayon numéro 3 produit une ligne plus pâle qu'un crayon numéro 2.

Dans le système utilisant lettres et chiffres, le H exprime la dureté (hard) et le B exprime la couleur (black). Un crayon HH est très dur et un BBB très noir.

Enfin, il faut savoir que le trait de graphite laissé sur le papier est composé de petites particules déposées en fines lamelles opaques. Ces particules s'accrochent aux fibres du papier. Lorsqu'on utilise une gomme à effacer (faite à base de caoutchouc), les particules de celles-ci s'accrochent à celles du trait de crayon et font décoller les particules du papier.

Sources: Pépin, R. (2001). *Au-delà des apparences, la dimension scientifique de la vie quotidienne.* Montréal, Éd. Multimondes.

Thouin, M. (2001). *Problèmes de science et de technologie pour le primaire et le secondaire.* Montréal, Éd. Multimondes.

The Usborne Internet-Linked Science Encyclopedia with 1000 Recommended Web Sites. London, England, Usborne Publishing Ltd.

Référence au 2ᵉ cycle du primaire

Savoirs essentiels :
Univers matériel, propriétés et caractéristiques de la matière, capacité des matériaux à être de bons isolants thermiques.

LA QUESTION PROBLÈME

Y a-t-il des matériaux qui peuvent conserver un glaçon plus longtemps que d'autres ?

RÉSUMÉ DE LA SITUATION PROBLÈME

Cette activité permet à votre enfant de réaliser une démarche expérimentale. Il découvrira les propriétés de la matière, leurs propriétés isolantes. Une propriété est ce qui caractérise la matière : couleur, forme, texture, masse, volume, atout, limite, etc.

Matériel requis

– glaçons ;
– divers types de papier : papier journal, essuie-tout, papier ciré, d'aluminium ;
– divers types d'échantillons de tissus : coton, laine, polar, polyester ;
– divers types de verres : polystyrène, carton, plastique avec couvercles ;
– boîte de conserve vide ;
– papier déchiqueté comme de la paille ;
– copeaux de bois, paille (facultatif) ;
– thermos et glacière (facultatif).

Durée totale

30 minutes et plus.
– temps de préparation : 10 minutes
– temps d'observation et de collecte de données : 15 minutes
– temps de discussion : 10 minutes

Démarche proposée

Étape 1 : lire la mise en situation avec votre enfant ;
Étape 2 : lui demander ce qu'il pense de cette situation et répondre aux questions pour faire des liens avec ce qu'il connaît et lui permettre de prendre des initiatives.
Étape 3 : suivre les étapes proposées pour l'expérimentation ;
Étape 4 : laisser l'enfant s'exprimer sur ses propres conclusions ;
Étape 5 : laisser l'enfant poursuivre sa réflexion ;
Étape 6 : faire réfléchir l'enfant sur sa démarche.

CONSEILS PRATIQUES

Pour obtenir des informations scientifiques sur le sujet : Consulter la page 217.

Pour consulter la liste de vocabulaire propre à cette activité : consulter la page 223.

QUEL EST LE MOYEN LE PLUS EFFICACE POUR CONSERVER LA GLACE ?

ÉTAPE 1 **Mise en situation**

L'été, il fait chaud ! On cherche tous les moyens pour conserver au frais les aliments, les jus, les glaçons. Aujourd'hui, on possède des glacières, des thermos. Comment faire si on ne possède pas ces contenants isolants ? Y a-t-il des matériaux qui possèdent des qualités thermiques (qui conservent bien la température d'un objet) plus que d'autres ?

ÉTAPE 2 **Réfléchissons**

a) Pense aux différents moyens que tu utilises pour te protéger du froid pendant l'hiver (maison, vêtements). Décris les moyens utilisés, les caractéristiques des matériaux employés.

_____

_____

_____

_____

b) Pense maintenant aux différents moyens que tu utilises l'été pour conserver les aliments au froid ?

_____

_____

_____

c) Si tu prends un glaçon et que tu cherches à le garder intact, comment le protègerais-tu ? Pense à différents matériaux ou moyens que tu pourrais utiliser pour protéger ton glaçon.

d) Parmi les matériaux ou moyens suggérés en c), lequel, selon toi, serait le plus efficace ? Pourquoi ?

e) Pense à une démarche qui te permettrait de mener une bonne expérimentation, décris-la étape par étape, n'oublie pas de penser à un tableau de collecte de données.

1) _____

2) _____

3) _____

4) _____

5) _____

ÉTAPE 3 Expérimentons

Coche parmi les matériaux suivants ceux que tu veux tester pour protéger des glaçons. Le défi consiste à garder les glaçons intacts le plus longtemps possible.

a) papier journal ;

b) essuie-tout ;

c) papier ciré ;

d) papier d'aluminium ;

e) tissus de coton ;

f) tissus de laine ;

g) tissus de laine polaire ;

h) polyester ;

i) verre de polystyrène avec couvercle ;

j) verre de carton avec couvercle ;

k) verre de plastique avec couvercle ;

l) boîte de conserve vide ;

m) papier déchiqueté comme de la paille ;

n) copeaux de bois, paille (facultatif) ;

o) thermos et glacière (facultatif).

Maintenant, enveloppe chaque glaçon du matériau choisi et inscris-le dans le tableau. Vérifie ensuite à intervalle de 10 minutes l'état du glaçon (sans le déballer si possible). Rapporte dans le tableau les changements observés (perte en eau, diminution du volume, dureté du glaçon, etc.).

TABLEAU DE COLLECTE DE DONNÉES

Matériau choisi	Observations après 10 minutes	Observations après 20 minutes	Observations après 30 minutes

ÉTAPE 4 Concluons

a) Que peux-tu conclure de ton expérimentation ? Que peux-tu dire de la rapidité avec laquelle le glaçon semble fondre dans certain matériau ? Peux-tu comparer les matériaux entre eux ? Y en a-t-il un qui te semble plus efficace ? Quelles sont, selon toi, les raisons de la supériorité de ce matériau ?

_____

_____

_____

_____

_____

_____

_____

_____

_____

_____

ÉTAPE 5 Poursuivons

a) Quelles sont les personnes pour qui c'est important
de se protéger ou de protéger différentes choses du chaud
ou du froid ?

_____

_____

b) Quelle(s) autre(s) question (s) te poses-tu sur les isolants
thermiques ?

_____

_____

c) Y a-t-il d'autres matériaux que tu aimerais utiliser pour tester
leurs qualités thermiques ?

_____

d) Y a-t-il d'autres facteurs qui auraient pu influencer
cette expérimentation ?

_____

ÉTAPE 6 Faisons le point

Remets dans l'ordre les activités réalisées pour cette
expérimentation :

_____ lire le problème ;

_____ observer le comportement des glaçons avec les divers
matériaux utilisés ;

_____ faire des hypothèses ;

_____ recueillir le matériel :

_____ prendre des mesures ;

_____ conclure à partir des données récoltées ;

_____ penser à d'autres expérimentations possibles.

Informations scientifiques

Beaucoup d'enfants peuvent avoir de la difficulté à comprendre qu'un thermos peut garder un aliment chaud ou froid selon le cas. Ils peuvent même se demander s'il existe un bouton chaud ou froid que l'on peut actionner pour laisser savoir quel travail le thermos a à réaliser. En fait, il s'agit ici d'un transfert de température ou de ce qu'on appelle un processus thermodynamique.

Les propriétés isolantes d'un thermos sont le résultat de la réduction de trois facteurs : la conduction, la radiation, la convection. Ce sont ces trois facteurs qui entrent en jeu pour garder un aliment à la température souhaitée. Le thermos est composé d'un contenant en verre recouvert d'une couche argentée réfléchissant la température de l'aliment (radiation), d'une couche d'air qui ne permet pas le transfert de température puisque l'air est un faible conducteur (conduction et convection). La perte de chaleur s'effectue par le couvercle et par la rencontre des matériaux à l'embouchure (conduction).

Dans cette activité, on se rendra compte que certains matériaux de par leurs propriétés sont plus isolants que d'autres. Il s'agit d'une expérience empirique parce que l'on ne dispose pas ici d'instrument de mesure précis.

Le bois et l'eau sont de bons isolants.

Sources : Thouin, M. (2001). *Problèmes de science et de technologie pour le primaire et le secondaire.* Montréal, Éd. Multimondes.

The Usborne Internet-Linked Science Encyclopedia with 1000 Recommended Web Sites. London, England, Usborne Publishing Ltd.

Français

LECTURE

Activité 1

1. Réponses variables : du cochon, des origines de sa queue en tire-bouchon, de son squelette, de la fonction de sa queue.

2. Avant la lecture.

3. Le survol te permet de connaître les parties du texte (titre, sous-titres, paragraphes) ou d'un livre (page de couverture, table des matières, chapitres, etc.). Il permet également de prévoir de quoi il sera question dans le texte et de comprendre que le texte ne se présente pas d'un seul bloc, mais qu'il est composé de plusieurs petites parties.

4. Regarder d'un coup d'œil rapide la couverture, observer les illustrations, lire la couverture arrière et la table des matières.

5. Réponses variables.

Activité 2

1. Chez cette dame, plusieurs biens peuvent être dérobés : des parfums chers, un tableau de Riopelle, des photos anciennes, des couteaux, un bol en verre de Murano, un service de couverts en argent, une bonbonnière, un coffret à bijoux, un ange en bronze, etc.

2. Cette grand-maman cuisine bien : soupe, macaroni, pain maison, cretons, pâtisseries, gâteau, biscuits.

3. On retient plus facilement ce qui nous intéresse. Avant de lire, il est bon de se définir une intention, afin de lire avec plus d'intérêt.

Activité 3

1. consommateur ; 2. vendeur ; 3. vendeur ; 4. vendeur ; 5. consommateur ; 6. vendeur ; 7. consommateur ; 8. vendeur ; 9. vendeur ; 10. consommateur.

Activité 4

Groupes du verbe : a découvert, apprennent, est, font, s'occupent, commence, apprennent, veut, enseigne, transmettent , présentent, racontent, chantent, dessinent, doivent, consiste, est venu, participe, apprennent, est, demande, pourraient, sont, sont.

Groupes sujet : Alia, des enfants de 8 à 14 ans, C', des milliers de garçons et de filles, des milliers de garçons et filles, tout, les enfants, on, on, les enfants, ils, ils, ils, ils, certains mini-médecins, leur tâche, le moment, toute l'école, les écoliers, la malaria, on, les moustiques, les mini-médecins, des milliers de gens.

Activité 5

1. a) bitumée : exemples d'hypothèses : recouvert de bitume, d'asphalte ; indice : je laisse la route bitumée pour le chemin de terre.
   b) savates : exemples d'hypothèses : souliers, sandales usées ; indice : j'enlève mes... et je me mets à courir.
   c) scandent : exemples d'hypothèses : frappent le sol, sautillent, battent la mesure ; indice : joli refrain.
   d) caquettent : exemples d'hypothèses : crient, jasent ; indice : caquettent d'indignation.

e) maître : exemples d'hypothèses : maîtresse, enseignant ; indice : toute la classe, le maître nous y amène.

2. Réponses variables.

3. Réponses variables.

Activité 6

1. le train ; cœur de Cloé ; Cloé ; Cloé ; la marraine ; Cloé ; Cloé ; Cloé ; Cloé ; Cloé ; Cloé ; Cloé ; Philomène ; Cloé ; Philomène ; Philomène ; Philomène ; Philomène ; Cloé ; Philomène ;.

2. Dessin.

Activité 7

1. L'origine de l'école, son évolution.

2. Le terme «école» vient du mot grec **skholê**, qui voulait dire loisir...puis, lieu d'étude.

3. a) Platon enseignait près d'Athènes dans les jardins d'Akadêmos.
   b) Le maître enseignait à ses disciples dans un lieu nommé «gymnase».
   c) Le savoir philosophique et scientifique se concentrait dans les bibliothèques des monastères.

4. Réponses variables.

5. Réponses variables.

Activité 8

Réponses variables.

ÉCRITURE

Activité 9

1. Réponses variables.

2. Réponses variables.

Activité 10

1. a) introduction ; b) conclusion ; c) introduction ; d) développement ; e) développement ; f) développement ; g) développement ; h) introduction ; i) introduction ; j) développement.

2. Premier paragraphe : Causes multiples : phrases g et l.
   Deuxième paragraphe : La pauvreté : phrases i, k et o.
   Troisième paragraphe : Absence de soins appropriés : phrase j.
   Quatrième paragraphe : L'eau, les insectes, les parasites : phrase f.
   Cinquième paragraphe : La guerre : phrases b, c et d.
   Sixième paragraphe : Conséquences : phrases h et m.
   Septième paragraphe : Espoir : phrases a, e et n.

Activité 11

1. Noms communs : éléphant, nouvelle, feu, brousse, zoo, ville, éléphant, enclos, palissades, chose, intelligence, éléphants, neige, nuit, neige, arrêt, palissade.
   Adjectifs : petite, allemande, mâle, solide, hautes, importante, brillant, capable, ingénieux.
   Verbes : est sauvé, répand, vient, est, comporte, a oublié, a vu, est, a poussé, a piétinée, soit, est.

Déterminants : un, la, un, le, une, un, son, une, l', des, la , la, la.

2. a) feu de brousse ; b) une chose importante ; c) une petite ville allemande.

3. a) vrai ; b) vrai ; c) vrai ; d) faux ; e) faux ; f) vrai.

4. a) lentement ; b) attentivement ; c) fièrement ; d) rapidement ; e) gentiment.

Activité 12

1. a) Nous (GS) irons (GV) chez grand-mère (GC, où) à Pâques (GC, quand).
   b) Les parents de Sophie (GS) sont partis (GV) en voyage (GC, où).
   c) Le médecin (GS) examine attentivement (GV) la brûlure de Marco (GC, quoi).
   d) Le pont (GS) mesurait certainement (GV) un kilomètre de long (GC, combien).
   e) Marcel (GS) m' (GC, à qui) a donné (GV) un cadeau (GC, quoi).

2. a) Ma sœur m'a dit **ce** qu'elle voulait pour Noël.
   b) Si tu veux savoir **ce** qu'il fait, tu n'as qu'à le lui demander.
   c) Ma mère me demande **ce** que je veux pour déjeuner.
   d) Qu'est-ce que Samuel pense de **ce** qui est arrivé hier ?
   e) Dis-moi **ce** qui te dérange.

3. a) Clément veut aller jouer dehors, mais il fait −30 °C.
   d) Clio aime se promener en auto, mais elle a le mal des transports.
   e) J'adore les chats, mais ma sœur est allergique.
   f) La planche à roulettes est amusante, mais c'est parfois dangereux.
   j) J'adore l'Halloween et les bonbons, mais ça donne des caries.

Activité 13

1. Réponses variables.

2. Réponses variables.

3. a) Je prépare un dessert pour mon père qui adore le dessert.
   b) Mon grand-père s'est cassé la jambe en tombant.
   c) J'irai faire le marché et m'acheter des chaussures.
   d) J'ai un dessin à faire pour le concours de Pâques.

Activité 14

1. a) a, e ; b) a, i ; c) a, im ; d) a, e ; e) n, i ; f) n, i ; g) n, i ; h) n, i ; i) a, i ; j) a, d.

2. Réponses variables.

Activité 15

1. a) Je peux patiner sur la glace et sur le pavé.
   b) J'aimerais devenir invisible et voler dans les airs.
   c) Je suis magicienne, je peux faire disparaître un sou, faire apparaître une balle et changer la couleur d'un foulard.
   d) Pour apprendre, j'utilise mes yeux, mes oreilles et ma tête.
   e) La bête étrange avait trois doigts, un œil et six pattes.

2. Marlène est mon professeur de natation. Les enfants rient à gorge déployée en la voyant nager comme un dauphin, un requin ou une grenouille. Mais, quand elle imite la baleine, c'est le délire ! Plouf ! Aimerais-tu avoir Marlène comme professeur de natation ?

Activité 16

1. Réponses variables :
   a) une musique peut être : envoutante, mélodieuse, douce, énervante, calme.

b) une personne peut se sentir : fatiguée, détendue, énergique, dynamique, amoureuse.

c) un bonbon peut être : collant, croquant, délicieux, multicolore, savoureux.

d) le ciel peut être : menaçant, gris, magnifique, dégagé, éclatant.

e) une route peut être : cahoteuse, tranquille, embouteillée, sinueuse, longue.

2. a) métiers ; b) fruits ; c) mesure du temps ; d) jours fériés ;
   e) stades de développement du papillon.

3. La chanteuse, cette artiste québécoise, la jeune femme, elle.

4. Réponses variables.

Activité 17

1.

Verbe	Nom	Adjectif
forcer	force	fort
construire	construction	construit, constructif
redresser	redressement, droitier, droiture	adroit, droit
manier	main, manucure	manuel
porter	port, porteur	portable, portatif

2. a) port ; b) champ ; c) là ; d) soie ; e) où, m'a ; f) m'ont, mon ; g) mois ;
   h) m'a, ma ; i) mes, mais ; j) ses, les, cent.

3. a) barricade, barrir, basson, batterie.
   b) appartement, appartenir, apprécier, argile.
   c) cacahouète, cacaoyer, caniche, canin.

Activité 18

1. a) fardeaux (m. p.), maux (m. p.) ; b) curieux (m. s.), neveu (m. s.), yeux (m. p.), bleus (m. p.), bleus (m. p.) ; c) pneus (m. p.), autobus (m. p.), chers (m. p.) ;
   d) jumeaux (m. p.), gâteaux (m. p.) ; e) peureux (m. s.), vieux (m. s.), grincheux (m. s.) ; f) nez (m. p.) ; g) travaux (m. p.) ; h) nombreux (m. p.), tournois (m. p.) ;
   i) choix (m. s.), cheveux (m. p.), poux (m. p.).

2. fréquenté (m. s.) ; fatiguée (f. s), inanimé. (m. s.), qualifié (m. s.), perfectionné (m. s.), brillant (m. s.), étendu (m. s.), cher (m. s.), incroyable (f. s.), débrouillarde (f. s.), grand (m. s.), arrivées (f. p.), vierge africaine (f. s.).

3. a) certaine, claire, dure, pleine.
   Nature des mots : adjectifs.
   Règle : Pour obtenir le féminin, on ajoute généralement un « e » au nom masculin.
   b) ancienne, épaisse, gentille, bonne.
   Nature des mots : adjectifs.
   Règle : Quand le masculin se termine par « en », « s », « il », « on », on redouble la dernière consonne et on ajoute le « e » du féminin.
   c) dangereuse, délicieuse, malicieuse, frileuse.
   Nature des mots : adjectifs.
   Règle : Quand l'adjectif se termine en « eux » au masculin, on forme le féminin en « euse »

d) conseillère, ouvrière, boulangère, policière.
Nature des mots : noms communs.
Règle : On ajoute le « e » du féminin et aussi un accent grave sur le « e » placé avant.

Activité 19

1. a) t → famille ; b) ont → grands-parents ; c) e → je ;
d) aient → Marie et Hélène ; e) ons → Ma sœur et moi.

2. a) Le lapin et la colombe, ils.
b) La mère de Fanny, elle.
c) Toutes les blessures de Marie, elles.
d) Les jumelles, elles.
e) on, il.
f) Jennifer, elle.

3. Réponses variables :
Il avait de la peine. Elle a de la difficulté. J'ai du plaisir. Nous avons le goût.
Ils ont du temps. Nous avons du mal. Mes amis auraient du temps.

Activité 20

1. a) fermier ; b) maire ; c) parloir ; d) saphir ; e) tir.

2. songe, rêve, monte, traverse, enlève, attache, approche, lâche, envole, appelait, passaient, était, emportait, est, venait.

3.

	Prés. ind.	Imp. ind.	Futur simple	Cond. présent
je		étais, voyageais, avais	retournerai, irai	
tu				
il		fallait		
nous		étions, vivions, bavardions		
vous				aimeriez
ils		étaient, avaient, racontaient, étaient		

COMMUNICATION ORALE

Activité 21

Réponses variables.

Mathématique

Activité 1

1. a) 10 190 ; b) 20 012 ; c) 11 500 ; d) 30 000.

2. 1335

3. a) 136 ; b) 42.

4. b) 12 × 1 000 + 8 × 10 et c) 120 centaines + 8 dizaines.

Activité 2

1. a) 1642 ; b) 6892 ; c) 14 004 ; d) 75 098.

2. a) 3040 ; b) 13 004 ; c) 4013 ; d) 13 314 ; e) 4400.

3. f) 35 030

Activité 3

1. a) 3674 ; b) 4799 ; c) 6969 ; d) 8999.

2. Marie : 9990, Jeffrey : 10 000, Karine : 9010, Paolo : 9100.

3. 333, 3130, 3303, 13 111, 30 013.

4. 4343, 4094, 3943, 3934, 3409.

Activité 4

1. a) 400 ; b) 5000 ; c) 20 000.

2. 11 000, parce que 11 480 se situe plus près de 11 000 que de 12 000.

3. 15 $, 16 $, 17 $, 18 $, 19 $, 21 $, 22 $, 23 $, 24 $.

Activité 5

1. a) 7 + 3 + 2 = 12 ; b) 7 + 3 + 5 = 15 ; c) 6 + 4 + 3 = 13 ; d) 5 + 5 + 3 = 13 ;
   e) 8 + 2 + 4 = 14 ; f) 9 + 1 + 7 = 17.

2. a) 37 ; b) 59 ; c) 95 ; d) 39 ; e) 87 ; f) 79 ; g) 59 ; h) 50 ; i) 84.

3. a) 25 + 10 + 3 = 38 ; b) 42 + 10 + 5 = 57 ; c) 36 + 20 + 2 = 58 ; d) 54 + 30 + 3 = 87 ;
   e) 23 + 40 + 6 = 69 ; f) 65 + 30 + 4 = 99.

4. a) 36 + 10 + 4 + 1 = 51 ; b) 67 + 20 + 3 + 3 = 93 ; c) 55 + 20 + 5 + 3 = 83 ;
   d) 59 + 20 + 1 + 6 = 86 ; e) 48 + 10 + 2 + 5 = 65 ; f) 44 + 30 + 6 + 2 = 82.

Activité 6

1. a) 1377 ; b) 4100 ; c) 5460.

2. a) 1504 → 600 + 900 = 1 500 ; b) 14 146 → 7000 + 7000 = 14 000 ;
   c) 86 222 → 50 000 + 40 000 = 90 000 ; d) 101 554 → 50 000 + 50 000 = 100 000.

3. a) 658 + 739 = 1397 ; b) 7605 + 6905 = 14 510 ; c) 18 365 + 26 448 = 51 340.

4. a) 6039 (Erreur : 0 + 3 est égal à 3 et non à 0.) ;
   b) 4050 (Erreur : Les nombres doivent être alignés à partir de la droite afin
      d'additionner les unités avec les unités, les dizaines avec les dizaines, etc.) ;
   c) 12 995 (Erreur : On a oublié d'additionner la dizaine posée en retenue.) ;
   d) 8729 (Erreur : 7 dizaines + 5 dizaines = 12 dizaines = 1 centaine + 2 dizaines.
      Il faut donc poser 1 centaine en retenue et laisser les deux dizaines
      à la réponse.).

Activité 7

1. a) $(13 - 3) - 3 = 7$; b) $(24 - 4) - 5 = 15$; c) $(32 - 2) - 4 = 26$; d) $(45 - 5) - 4 = 36$;
   e) $(54 - 4) - 2 = 48$; f) $(75 - 5) - 3 = 67$.

2. a) 14, 16, 36; b) 45, 55, 30; c) 54, 28, 52.

3. a) $25 - 10 - 2 = 13$; b) $38 - 10 - 5 = 23$; c) $49 - 20 - 5 = 24$; d) $77 - 30 - 4 = 43$;
   e) $84 - 30 - 3 = 51$; f) $68 - 40 - 5 = 23$.

4. a) $34 - 10 - 4 - 2 = 18$; b) $42 - 10 - 2 - 5 = 25$; c) $53 - 20 - 3 - 2 = 28$;
   d) $64 - 30 - 4 - 4 = 26$; e) $71 - 30 - 1 - 3 = 37$.

Activité 8

1. a) $433 \rightarrow 800 - 400 = 400$; b) $2657 \rightarrow 6000 - 4000 = 2\,000$;
   c) $19\,793 \rightarrow 40\,000 - 20\,000 = 20\,000$; d) $44\,384 \rightarrow 60\,000 - 20\,000 = 40\,000$.

2. a) 555; b) 5665; c) 4571; d) 2269; e) 2641; f) 52 201.

3. a) $3541 - 2635 = 906$ (Erreur : À la position des unités, on a calculé $5 - 1$
   et non $1 - 5$.);
   b) $13\,000 - 2765 = 10\,235$ (Erreur : On a emprunté inutilement à la position
   des unités.);
   c) $7045 - 3698 = 3347$ (Erreur : On n'a pas emprunté à la position des dizaines.).

4. a) $3820 - 1789 = 2031$; b) $6071 - 3543 = 2528$; c) $9000 - 4367 = 4633$.

Activité 9

1. $10\,000 - 7329 = 2671$ livres

2. $2003 - 1642 = 361$ ans (La réponse variera bien sûr selon l'année en cours.)

3. $2040 - (680 + 650) = 710$ km

4. $4034\ \$ - (249\ \$ + 766\ \$ + 692\ \$) = 2327\ \$$

Activité 10

2.
20	36	24
21	35	30
60	56	36
40	27	45
18	49	18
24	12	72
48	90	54

Activité 11

1. $6 \div 1, 12 \div 2, 18 \div 3, 24 \div 4, 30 \div 5, 36 \div 6, 42 \div 7, 48 \div 8, 54 \div 9$, etc.

2. a) $3 \times 6 = 18, 6 \times 3 = 18, 18 \div 3 = 6, 18 \div 6 = 3$; b) $4 \times 8 = 32, 8 \times 4 = 32, 32 \div 4 = 8$,
   $32 \div 8 = 4$; c) $3 \times 9 = 27, 9 \times 3 = 27, 27 \div 3 = 9, 27 \div 9 = 3$.

3. $4 \times 6 = 24, 6 \times 4 = 24, 4 \times 8 = 32, 8 \times 4 = 32, 3 \times 4 = 12, 4 \times 3 = 12, 3 \times 8 = 24$,
   $8 \times 3 = 24, 6 \times 6 = 36, 6 \times 8 = 48, 8 \times 6 = 48$
   $24 \div 4 = 6, 24 \div 6 = 4, 32 \div 4 = 8, 32 \div 8 = 4, 12 \div 3 = 4, 12 \div 3 = 4, 24 \div 3 = 8$,
   $24 \div 8 = 3, 36 \div 6 = 6, 48 \div 6 = 8, 48 \div 8 = 6$

Activité 12

1. a) $2070 \rightarrow 300 \times 6 = 1800$; b) $21\,546 \rightarrow 3000 \times 7 = 21\,000$;
   c) $54\,392 \rightarrow 7000 \times 8 = 56\,000$; d) $72\,810 \rightarrow 8000 \times 9 = 72\,000$;

e) 952 → 30 × 30 = 900 ; f) 31 044 → 400 × 80 = 32 000.

2. a) 648 × 5 = 3240 ; b) 3910 × 4 = 15 640 ; c) 301 × 25 = 7525.

3. a) 305 × 5 = 1 525 (Erreur : 5 × 0 = 5) ;
   b) 38 × 26 = 988 (Erreur : On a multiplié par 2 et non par 20 car on n'a pas ajouté de 0 à la 2e ligne.) ;
   c) 7648 × 3 = 22 944 (Erreur : À la position des dizaines, on a multiplié la retenue : (4 + 2) × 3 = 18.).

Activité 13

1. 6 × 12 = 72 œufs

2. (15 $ × 8) + 438 $ = 120 $ + 438 $ = 558 $

3. (2 × 225 $) + (5 $ × 120) = 450 $ + 600 $ = 1050 $

4. 9

Activité 14

1. a) (40 ÷ 2) 20 ; b) (90 ÷ 3) 30 ; c) (50 ÷ 5) 10 ; d) (80 ÷ 4) 20 ; e) (100 ÷ 5) 20 ;
   f) (70 ÷ 7) 10.

2. a) 49 ; b) 24 ; c) 16 ; d) 104 ; e) 124 ; f) 106 ; g) 91 ; h) 83 ; i) 93.

Activité 15

1. a) multiplication ; b) division ; c) division.

2. 75 ÷ 5 = 15 jours

3. (48 − 12) ÷ 4 = 9 chocolats

Activité 16

1. 2, 3, 5, 7, 11, 13, 17, 19, 23, 29, 31, 37, 41, 43, 47.

2.

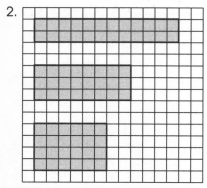

3. a) vrai ; b) vrai ; c) faux ; d) faux (il en a 9) ; e) vrai.

4.

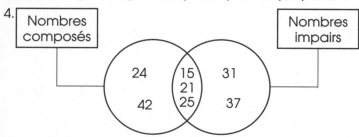

Activité 17

1. a) Règle : -5, +2 ; 189, 184, 186.
   b) Règle : x 2, -4 ; 44, 88, 84
   c) Règle : + 3, + 6 + 9, ... ; 32, 47, 65

2. 10

3.
35	25	24	25
55	45	64	55
75	65	44	85
105	95	104	65
125	115	124	95

Activité 18

1. a) ⬚ ou ⬚   Toute séparation en 3 parties
              contenant chacune 4 carreaux est correcte.

   b) ⬚ ou ⬚   Toute séparation en 4 parties
              contenant chacune 3 carreaux est correcte.

   c) ⬚ ou ⬚   Toute séparation en 6 parties
              contenant chacune 2 carreaux est correcte.

2. a) 4 ; b) 12 ; c) Il n'y a pas de fraction et donc pas de dénominateur, car la figure n'est pas séparée en parties égales ; d) 8.

3. Oui, les parties sont égales puisque chacune contient 6 carreaux.

Activité 19

1. Karine : 1/2 ; Philippe : 2/5 ; Louis : 3/10 ; Mylène : 1/5.

2. Toi : 1/8 ; ton frère : aucune fraction, car on ne peut séparer le gâteau en parties égales au morceau B.

3.
R	R	B	B
R	R	J	J

Activité 20

1. a) 7/16 ; b) 9/16.

2. a) 8 élèves ; b) 3 élèves.

3. Catherine

4. a) 8/14 (ou 4/7) ; b) 6/14 (ou 3/7).

Activité 21

1.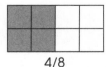

   1/2   2/4   4/8

2. a) 8/12 ; b) 4/6 ; c) 2/3.

3. a, b et c.

Activité 22

1. a) Bleu : 2/12 (ou 1/6) ; Rouge : 5/12 ; Vert : 4/12 (ou 1/3) ; Jaune : 1/12 ;
   b) 1/12, 2/12, 4/12, 5/12

2. a) Ari et Étienne ; b) Élise et Heba.

3. b

4. a) < b) > c) < d) =

Activité 23

1. a) 0,30 ou 0,3 ; b) 0,05 ; c) 0,48 ; d) 1,50 ou 1,5

2. Rouge : 3 pièces de 1 cent ; bleu : 3 pièces de 10 cents ; vert : 4 pièces de 10 cents et 5 pièces de 1 cent.

Activité 24

1. a) 0,8 b) 0,04 c) 1,07 d) 4,18 e) 15,9

2. a) 5,10 = 5 unités et un dixième = 51 dixièmes = 510 centièmes
   b) 8,03 = 8 unités et trois centièmes = 80 dixièmes et trois centièmes = 803 centièmes
   c) 13,50 = 1 dizaine, 3 unités et 5 dixièmes = 13 unités et 5 dixièmes = 135 dixièmes

3. a) 5,35 b) 3,1 c) 2,06 d) 2,1 e) 2 f) 4,53

Activité 25

1. a) < b) < c) > d) < e) < f) <

2. 0,12 – 0,21 – 1,12 – 1,21 – 11,2

3. a) 1,2 b) 0,6 c) 0,89 d) 1,0 e) 0,7

4. a) Charles, Luc, Philippe b) 0,10 ou 0,1 min

Activité 26

1. a) 13,25 b) 41,3 c) 0,8 d) 20

2. 1,00 – 0,85 = 0,15 minute

3. 10,00 $ – (0,99 + 2,45 $) = 6,56 $

4. a) 100,00 – 7,25 = 92,75 b) 98,01 – 18,25 = 79,76

Activité 27

1. A (1 ,1) ; B (1, 9) ; C (3, 9) ; D (5, 6) ; E (7, 9) ; F (9, 9) ; G (9, 1) ; H (7, 1) ; I (7, 5) ; J (5, 3) ; K (3, 5) ; L (3, 1).

2. a)

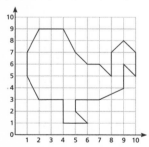

b) À un oiseau (une dinde)

Corrigé

Activité 28

1. a) G ; b) A, D et E ; c) B ; d) F ; e) D ; f) C.
2.

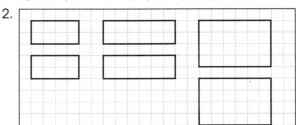

Activité 29

1.

	Contiennent des faces rectangulaires.	Ne contiennent pas de faces rectangulaires.
Ont 6 faces.	C, G	E
N'ont pas 6 faces.	A, H, I	B, D, F

2.

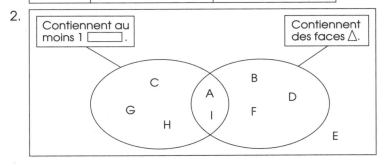

Activité 30

1. b, e.
2. Réponses possibles :

3. b

Activité 31

1. a)

b)

c)

d)

e)

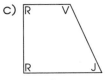

f)

2. a) Vraie b) Fausse c) Vraie d) Vraie

3. S'assurer que les côtés des polygones sont vraiment parallèles et que leurs angles dont droits.

Activité 32

1. Mélanie : a) 4 ; b) 2 ; c) 0 ; d) 2 ; e) 2.
   Justin : a) 4 ; b) 2 ; c) 2 ; d) 1 ; e) 1.

2. a) A ; b) D ; c) E ; d) B ; e) C.

3. Réponses variables.

Activité 33

1.

	A au moins 2 côtés congrus.	N'a pas de côtés congrus.
Non quadrilatère	B D	G
Quadrilatère	A C E	F

2.

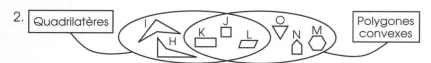

3. a) B, C, L, M ; b) A, B, C, D, J, M , O ; c) A, E, I, J, K, N.

Activité 34

1. a) A, B, C, D ; b) O, H, X, I ; c) F, G, J, P.

2.

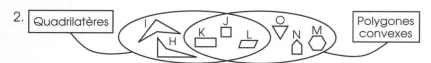

Activité 35

1.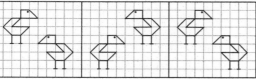

2.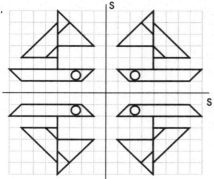

Activité 36

1. 80 mm

2. a) m ; b) dm ; c) mm ; d) cm ; e) cm.

3. b

4. C

Activité 37

1. a) 15 dm ; b) 150 cm.

2. Non, car 20 dm = 2 m.

3. 150 cm ou 15 dm.

4. a) 80 ; b) 30 ; c) 10 ; d) 140 ; e) 84 ; f) 7.

5. 150 mm, 1 m et 4 dm, 170 cm, 2 m, 25 dm.

Activité 38

1. Les deux figures ont le même périmètre, soit 32 cm.

2. 50 m

3. (75 + 175 + 75 + 175) ÷ 100 × 15 $ = 75 $

Activité 39

a) A, B et C

b) Modèle A : 12, Modèle B : 9, modèle C : 18

Activité 40

1. Modèle A : 96 ; modèle B : 12 ; modèle C : 16

Activité 41

1. a) 4 h 10, 4 h 25 b) 2 h 30, 2 h 45 c) 5 h 45, 6 h 00 d) 7 h 55, 8 h 10

2. 365 x 2 = 730 jours

3. les 8, 15, 22 et 29 mai.

4. a) > b) < c) = d) > e) >

Activité 42

1. a) Judith, Évelyne, Audrey, Didier ; b) 125 – 80 = 45 cm.

2.

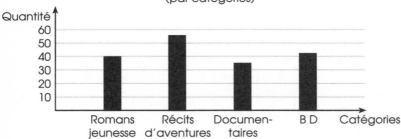

Activité 43

1. a) Les températures à Montréal, du 1er au 7 mars 1945
   b) Le mercredi, le jeudi
   c) Entre le mercredi et le jeudi

2.

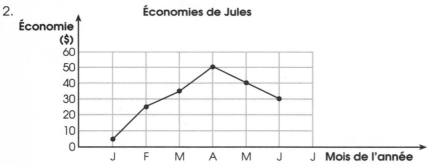

Activité 44

1. Dimanche, lundi, mardi, mercredi, jeudi, vendredi, samedi

2. d : 8, i : 7, m : 4, a : 3, n : 3, c : 2, h : 1, e : 7, l : 1, u : 2, r : 4, j : 1, v : 1, s : 1

3. a) vrai ; b) faux ; c) vrai ; d) faux ; e) faux ; f) vrai

4. a) Pedro, Fernandez, Caroline
   b) Sophie

Activité 45

1. Réponses variables selon l'expérimentation effectuée.

2. a) 1, 2, 3, 4, 5, 6
   b) 1 (l'as), 2, 3, 4, 5, 6, 7, 8, 9, 10, 11 (le valet), 12 (la dame), 13 (le roi)
   c) m, e, r, c, d, i

Corrigé

3.

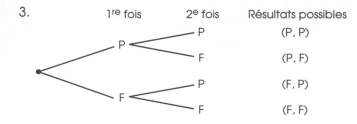

	1re fois	2e fois	Résultats possibles
		P	(P, P)
	P	F	(P, F)
	F	P	(F, P)
		F	(F, F)

Science et technologie

Activité 1 : Quelle est la couche la plus absorbante ?

Étape 2

Variable

Étape 3

(Exemple de tableau contenant des données)

Tableau de collecte de données

Caractéristiques	Couche #1	Couche #2	Observations Couleurs, texture, ça ressemble à ..., ça me fait penser à ...
À sec : épaisseur, masse.	Mesure .5 cm d'épaisseur. Masse : environ 2 gr	Idem	Blanc, avec une sorte d'essuie-tout plastifié d'un côté, à l'intérieur, ça ressemble à de la ouate, on peut observer de minuscules petits grains blancs qui ressemblent à des grains de sucre…
Après absorption, quantité d'eau absorbée en ml	100 ml	90 ml	
Après absorption, épaisseur de la couche	7 cm	6,5 cm	
Masse (facultatif)	60 gr	50 gr	Les granules ressemblent à de petites boules semi transparentes de la grosseur d'un grain de couscous, ça ressemble à du tapioca, à des œufs de caviar …

Étape 4

La couche qui absorbe le plus de liquide est celle qui contient le plus de granules de polyacrylate.

La couche augmente approximativement de 8 fois son volume.

La couche augmente approximativement de 10 fois sa masse.

Étape 5

Le gel demeure humide plus d'une semaine.

Étape 6

3. observer les échantillons de couches au sec ;

1. lire le problème ;

5. observer les échantillons de couches ayant absorbés l'eau ;

2. faire des hypothèses ;

4. et 6. prendre des mesures ;

7. conclure à partir des données récoltées ;

8. penser à d'autres utilisations possibles.

Activité 2 : Comment trouver la provenance du vent ?

Étape 2

Variable

Le modèle doit être capable de trouver la direction du vent et mesurer la vitesse de vent. Il doit donc y avoir gradation pour indiquer des changements de force du vent. Il doit être léger, stable, peu dispendieux, relativement esthétique. Il peut s'agir d'un appareil qui combine les 2 fonctions ou de deux appareils, un pour la direction du vent, l'autre pour sa vitesse.

Étape 3

Variable (avoir quelques dessins de différents modèles de girouette et d'anémomètre)

— L'enfant peut fabriquer un fanion avec divers matériaux, l'exposer au vent, observer comment il se comporte et tirer des conclusions.

— L'enfant peut fabriquer une girouette ou un vire vent ; le principe de fabrication est de permettre une grande mobilité de ce qui doit suivre la direction du vent. Par exemple, une tige planté dans un morceau de liège et ayant à l'autre extrémité une flèche peut être insérée dans une bouteille sans toucher le fond. La flèche doit pouvoir bouger aisément sans subir trop de résistance de la part des matériaux.

— Pour mesurer la vitesse du vent, l'enfant peut suspendre une corde à un morceau de carton gradué. Il s'agit alors de placer le carton dans la direction du vent et de voir où se situe la corde sur le carton.

— Il est souhaitable que l'enfant détermine les 4 points cardinaux afin de mieux comprendre l'orientation du vent, une boussole pourrait ici être utile.

Étape 4

a) variable

b) la provenance des vents forts est variable selon les régions, par exemple dans la vallée du Richelieu, il s'agirait des vents du sud alors que dans la région de Québec, il proviendrait du nord-est. …

c) les vents chauds proviennent généralement du sud.

d) fraîcheur, voile, cerf-volant, énergie éolienne, transport du pollen, etc.

e) érosion du sol, branches cassées, toit arraché (si le vent est très fort)

Étape 5

2. faire l'inventaire de tes idées;

1. lire le problème;

4. tester l'appareil;

3. choisir un modèle, récolter le matériel et procéder à sa conception;

5. améliorer l'appareil à partir de différents essais;

Activité 3 : Comment peut-on rendre potable l'eau salée ?

Étape 3

Activité 1

L'évaporation permet d'obtenir une eau plus potable, le sel reste dans le verre. Cette expérience explique en partie le cycle de l'eau. Comme l'eau des océans s'évapore sous l'effet de la chaleur et des rayons du soleil, les vapeurs d'eau se refroidissent en montant dans l'atmosphère et forment des nuages.

Activité 2

Le sel se dépose au fond du verre mais la pureté de l'eau n'est pas garantie.

Activité 3

Il est important de reconnaître pour l'enfant que le filtre sépare les particules en suspension dans l'eau, il ne purifie pas vraiment. L'évaporation est plus sûre. Autre élément l'acidité de l'eau n'est pas visible à l'œil nu, qu'elle soit opaque ou très claire, on ne peut deviner le taux d'acidité présent dans l'eau. Filtrer l'eau est un processus complexe, l'évaporation semble le moyen le plus sûr. À l'œil nu, il n'est pas possible de détecter les impuretés de l'eau.

Étape 5

Variable

Étape 6

3. réaliser l'expérimentation

1. lire le problème;

4. observer ce qui se passe;

2. faire des hypothèses;

6. penser à d'autres questions et d'autres expériences pour poursuivre;

5. conclure à partir de l'expérimentation;

Activité 4 : Peut-on conserver des fruits coupés ?

Étape 2

Variable

Étape 3

Variable

Étape 4

Certaines substances ont des propriétés anti-oxydantes comme le sel, le sucre, le jus de citron, le vinaigre. Frotter un morceau de fruit avec un comprimé de vitamine C produit le même effet.

— plonger un morceau de fruit dans l'eau ou le placer dans un sac dont a retiré le plus possible de l'air.

Étape 5

Fer, vin, carie, etc.

Étape 6

3. observer les morceaux de fruits fraîchement coupés ;

1. lire le problème ;

4. observer les morceaux de fruits une heure après avoir appliqué une substance sur eux ou après avoir utilisé un moyen de protection (eau, sac, ou autre) ;

2. faire des hypothèses ;

5. récolter des données d'observation ;

6. conclure à partir des données observées.

Activité 5 : Comment fabrique-t-on les crayons à mine ?

aucune

Activité 6 : Quel est le moyen le plus efficace pour conserver la glace ?

Étape 2

a) Isolation de maisons, vêtements de laine, duvet, port de plusieurs couches de vêtements, etc.

b) Thermos, glacières, proximité de sacs de glace, emplacement à l'ombre pour la glacière, etc.

c) Variable, voici quelques idées : envelopper le glaçon dans un papier, toucher le glaçon à intervalle sans déballer le glaçon, mesurer le temps qu'il a mis à fondre. Faire varier les matériaux, la quantité de couches de matériaux. Placer un glaçon dans un thermos, dans une glacière.

d) Le métal conduit bien la chaleur mais le plastique, le bois ou l'air agissent comme isolant thermique. La chaleur se propage moins bien à travers certains matériaux. Le thermos est constitué d'une bouteille en verre, d'une couche d'air et d'un contenant extérieur en plastique ou en métal. De plus, le verre intérieur est recouvert d'une peinture réfléchissante qui permet aux ondes de chaleur de rayonner vers l'intérieur.

e) Variable.

Étape 4

Les meilleurs isolants sont ceux qui contiennent de l'air puisque celle-ci est mauvaise conductrice. L'absence d'air (vacuum) serait encore meilleure comme isolant puisque sans atome, on élimine la convection et la conduction complètement.

Les tissus à mailles serrées et contenant une couche d'air sont de bons isolants (ex. : laine polaire).

Étape 5

a) les personnes qui travaillent à l'extérieur, les astronautes, les livreurs de pizza, les skieurs, celles qui font la traversée du désert, etc.

b) variable;

c) variable;

d) Voici quelques exemples : la grosseur du morceau du glaçon, la quantité de couches d'isolants, la température extérieure, la température du contenant, le type de liquide congelé, etc.

Étape 6

1. lire le problème;

4. observer le comportement des glaçons avec les divers matériaux utilisés;

2. faire des hypothèses;

3. recueillir le matériel :

5. prendre des mesures ;

6. conclure à partir des données récoltées ;

7. penser à d'autres expérimentations possibles.

𝓕𝓻𝓪𝓷𝓬̧𝓪𝓲𝓼

Accord : lien en genre et en nombre entre les mots (noms, adjectifs et déterminants) d'un même groupe.
- accord des noms et des adjectifs (les petits tambours : masc. plur.)
- accord du verbe avec son sujet (les oiseaux gazouill**ent** : 3ᵉ personne du pluriel)

Adverbe : mot invariable qui précise le sens d'un verbe, d'un adjectif ou d'un autre adverbe.

Antonyme : mot qui a un sens contraire à celui d'un autre mot. Ex. : froid, chaud.

Auxiliaire : verbe *être* ou *avoir* qui sert à former les temps des autres verbes.

Compétence : capacité de l'élève de recourir à un ensemble de ressources (connaissances scolaires, expériences, habiletés, intérêts) pour mieux comprendre le monde dans lequel il vit, pour construire son identité personnelle et pour interagir dans des situations variées.

Compétence transversale : compétence intellectuelle, méthodologique, personnelle et sociale qui se déploie à travers les divers domaines d'apprentissage.

Complément : mot ou groupe de mots qui complètent le sens d'un autre mot et qui répondent aux questions : où ? quand ? comment ? pourquoi ? quoi ? et à quoi ?

Conditionnel : temps du verbe quand l'action est liée à une condition. Ex. : *Je serais content si je pouvais manger des biscuits.*

Conjonction : mot invariable qui réunit des mots ou des propositions. Ex. : *et, ou.*

Conjugaison : manière d'écrire un verbe selon différents modes et différents temps.
radical et terminaison (ils chant**ent**) ;
indicatif présent (je vais, nous avons, tu es, ils veulent...) ;
indicatif imparfait (il pouvait, nous aimions, je finissais...) ;
indicatif futur simple (j'aurai, il pourra, vous demanderez...) ;
conditionnel présent (tu serais, il voudrait, nous travaillerions...) ;
infinitif (être, avoir, parler, bâtir, comprendre, marcher...).

Déterminant :
articles définis (le, la, les, l') et indéfinis (un, une, des);

adjectifs possessifs (mon, ma, mes, nos, ses, votre, leur...) ;
adjectifs démonstratifs (ce, cet, cette, ces...) ;
adjectifs numéraux (trois, vingt, dixième...) ;
adjectifs indéfinis (aucun, certains, plusieurs...) ;
adjectifs interrogatifs (quel ? quelle ? quels ?...) ;
adjectifs exclamatifs (quel ! quelle ! quels !...).

Écran (ou mot écran) : mot ou groupe de mots qui sépare le sujet du verbe dans une phrase. Ex. : Michel les regarde (et non *regardent*).

Futur : temps du verbe quand l'action est à venir. Ex. : je prendrai, ils partiront.

Genre : deux genres existent en français. Masculin : un téléphone, le travail. Féminin : une aiguille, la mer.

Groupe complément : groupe du nom ayant la fonction de complément dans la phrase. Ex. : Le chat gris attrape de petites souris.

Groupe du nom : nom accompagné d'un déterminant et d'un adjectif pouvant tenir la fonction de sujet ou complément.
Ex. : *Le chat gris* attrape rapidement *de petites souris.*
Ex. : *le chat gris* : groupe du nom sujet ;
Ex. : *de petites souris* : groupe du nom complément.

Groupe du verbe : verbe accompagné d'un adverbe.
Ex. : Le chat gris <u>attrape rapidement</u> de petites souris.

Groupe sujet : groupe du nom ayant la fonction de sujet dans la phrase.
Ex. : <u>Le chat gris</u> attrape de petites souris.

Homophones : mots se prononçant de la même manière mais ayant un sens différent. Ex. : vers, verre, vert.

Imparfait : temps du verbe quand l'action est passée. Ex. : tu prenais, nous écrivions.

Indicatif : mode personnel du verbe qui « indique » une action présente, passée ou future.

Infinitif : mode impersonnel du verbe. Ex. : parler, avoir, connaître.

Invariable : mot qui ne varie pas, c'est-à-dire qu'il s'écrit toujours de la même manière. Ex. : beaucoup, gentiment.

Inversion (ou phrase inversée) : phrase débutant par une proposition subordonnée.
Ex. : Les oiseaux s'envolent vers le sud lorsque l'hiver arrive.
Ex. : *Lorsque l'hiver arrive,* les oiseaux s'envolent vers le sud.

Majuscule : lettre majuscule aux noms propres et au début d'une phrase (A, S, T...).

Marqueur de relation : mot qui indique le lien entre deux parties de phrase. Il peut indiquer une relation de :
– Séquence (ex. : d'abord, ensuite, enfin, après, finalement, premièrement) ;
– Cause-effet (ex. : parce que, puisque) ;
– Comparaison (ex. : comme, au lieu de) ;
– Coordination (ex. : et, ou).

Minuscule : lettre plus petite et différente de la lettre majuscule. Ex. : a, s, t.

Mots de même famille : groupe de mots provenant d'un même radical. Ex. : homme, humain, humaniser, humainement.

Mots de relation : prépositions et locutions prépositives (de, pour, par, à, jusqu'à, au lieu de...) ; conjonctions et locutions conjonctives (et, mais, car, ainsi que, parce que...) ; certains adverbes et locutions adverbiales (vite, très, beaucoup, tout de suite...).

Mots de substitution :
pronoms (elle, celui, eux, les miens, lui, auquel...) ;
synonymes (gentil = aimable, exact = précis...).

Nombre : il y a deux nombres en français. Singulier : le téléphone, une aiguille. Pluriel : les téléphones, des aiguilles.

Orthographe d'usage : graphie d'un mot qui ne tient pas compte de sa fonction dans une phrase. Ex. : château.

Orthographe grammaticale : ensemble des règles d'accord de la grammaire.
Ex. : le<u>s</u> château<u>x</u>.

Paragraphe : division d'un écrit regroupant une ou plusieurs phrases reliées à la même idée.

Personne du sujet : 1re personne : la personne qui parle (je, nous).

Personne du sujet : 2e personne : la personne à qui l'on parle (tu, vous).

Personne du sujet : 3e personne : la personne de qui l'on parle (il, ils, elle, elles).

Phrase : une idée complète. Ex. : Michel a bien réussi son examen.

Phrase affirmative :
    Ex. : Mon chat est noir et blanc.

Phrase impérative :
    Ex. : Va te brosser les dents.

Phrase interrogative :
    Ex. : Vas-tu à la piscine ?

Phrase négative :
    Ex. : Je n'ai pas l'intention de partir.

Ponctuation :
    deux-points (:) ;
    point : à la fin d'une phrase (.) ;
    point d'interrogation : à la fin d'une phrase interrogative (?) ;
    point d'exclamation : à la fin d'une phrase exclamative (!) ;
    points de suspension (...) ;
    point-virgule (;) ;
    virgule (,).

Préposition : mot invariable amenant un complément.
    Ex. : Je vais à l'école. (Où ? À l'école.)
    Ex. : Ne pars pas avant lui. (Avant qui ? Avant lui.)

Présent : temps du verbe quand l'action s'accomplit au moment où l'on parle.
    Ex. : je fais, ils écrivent.

Pronom : mot qui remplace un nom. Il remplit les mêmes fonctions qu'un nom.

Scripteur : personne qui écrit.

Signes orthographiques :
    accent aigu (é), accent grave (è), accent circonflexe (ê), tréma (ï), cédille (ç),
    apostrophe (l'), trait d'union (arc-en-ciel).
    Stratégie : moyen utilisé pour développer un compétence.

Stratégie : moyen utilisé pour développer une compétence.

Sujet : mot qui fait l'action exprimée par le verbe. On le trouve en posant la question *qui est-ce qui* ? ou *qu'est-ce qui* ? avant le verbe. Ex. : Ma cousine est partie en voyage. (Qui est-ce qui est partie ? Ma cousine.)

Syllabe : groupe de consonnes et de voyelles qui se prononcent d'une seule émission de voix. Ex. : ca-ma-ra-de : 4 syllabes.

Synonyme : mot qui a un sens équivalent à un autre mot. Ex. : livre, manuel.

Terme substitut : Pronom, synonyme, groupe de mots qui remplace un autre mot. (Ex. : Pierre s'amuse. *Il* rit.).

Terminaison : terme générique qui désigne la finale d'un mot.

Textes (types de textes de lecture) :
    informatifs : informations sur des animaux, des métiers, des phénomènes scientifiques ;
    poétiques : poèmes, comptines ;
    ludiques : récits réels ou imaginaires ;
    incitatifs : incitation à accomplir une tâche, à créer, tente de convaincre, inviter à ;
    expressifs : expression des sentiments, des goûts, des points de vue.

Verbe : mot qui exprime une action. Ex. : Les oiseaux s'envolent.

Mathématique

Différence : réponse de la soustraction.

Dividende : nombre qui est divisé.

Diviseur : nombre qui divise un autre nombre. (Note : On appelle diviseurs d'un nombre tous les nombres qui peuvent le diviser sans reste.)

Divisibilité (règles de) :
Un nombre se divise par 2 si le chiffre de ses unités est 0, 2, 4, 6 ou 8.
Un nombre se divise par 3 si la somme de ses chiffres se divise par 3.
Un nombre se divise par 4 si ses deux derniers chiffres se divisent par 4.
Un nombre se divise par 5 si le chiffre de ses unités est 0 ou 5.
Un nombre se divise par 10 si le chiffre de ses unités est 0.
Un nombre se divise par 25 si ses deux derniers chiffres sont 00, 25, 50 ou 75.

Multiple : les multiples d'un nombre sont les produits de ce nombre multiplié par tous les autres nombres naturels, y compris le 0.

Nombre carré : produit d'un nombre multiplié par lui-même.

Nombre composé : nombre qui a plus de deux diviseurs.

Nombre impair : nombre qui ne se divise pas par 2 sans reste.

Nombre pair : nombre qui se divise par 2 sans reste.

Nombre premier : nombre qui a exactement deux diviseurs : 1 et lui-même.

Nombre rectangulaire : nombre que l'on peut illustrer à l'aide d'un rectangle dont les mesures des côtés sont supérieures à 1. (Ex. : 24 = 2 rangées de 12, 3 rangées de 8, 4 rangées de 6.)

Quotient : réponse de la division.

Réseau : ensemble de lignes qui s'entrecroisent ou s'entrelacent.

Réseau simple : réseau qui ne comprend aucun point d'intersection.

Somme : réponse de l'addition.

Terme : nom utilisé dans l'addition et la soustraction pour désigner les nombres que l'on additionne ou que l'on soustrait.